MÉMOIRE INTERDITE

MÉMOIRE INTERDITE

Gilles GEFFRAY

Éditeur : BoD-Books on Demand
12-14 rond-point des Champs-Élysées, 75008 Paris
Impression : Books on Demand, Norderstedt, Allemagne

Illustration : Gilles GEFFRAY

ISBN : 9782322221981
Dépôt légal : mai 2020

Prologue

Les années 70 – région rouennaise :

La vaste propriété vallonnée avait toujours été magnifiquement entretenue. Elle abritait le manoir familial. Une rivière d'eau claire et vive la traversait. Non loin du torrent s'élevait un cerisier dont le double tronc épousait des courbes étranges. D'un côté, il poussait presque à l'horizontale et effleurait les hautes herbes printanières, tandis que de l'autre, il s'élançait vers le ciel immaculé. À califourchon, l'enfant s'appliquait à écrire, penché sur un cahier d'écolier. Un pic-vert tambourinait au-dessus de lui. D'une voix tranchante, le gamin s'adressa à l'oiseau sans lever le regard.

— Je vais te tuer. Arrête ça tout de suite.

Le pic-vert cessa aussitôt.

Un autre enfant sortit du manoir. Il ressemblait comme deux gouttes d'eau au premier. Il portait les mêmes vêtements. Il courut dans sa direction en s'esclaffant. Une belle femme dans la trentaine le suivait. Elle l'attrapa et ils disparurent dans les hautes herbes. Les éclats de leur rire résonnèrent longtemps.

Figé sur le tronc d'arbre, le garçon fronça les sourcils, inquiet de ne pas les voir se relever... Le pic-vert s'acharnait de plus belle sur une grosse branche morte. Le bruit, sorte de tambourinement pénible, devenait insupportable pour l'enfant. Son visage se crispa au point qu'il semblait avoir vieilli prématurément. Il se boucha les oreilles, ferma les yeux.

2

Printemps 2013 – Centre de Rouen :

Ludovic grimace, souffre, les deux mains plaquées sur les joues. Le garçon de neuf ans regarde un tableau aux couleurs criardes, des tons de rouge, un monde en flammes, une vallée plantée d'arbres noircis aux branches torturées. À ses côtés, sa petite sœur de sept ans, Lise, hausse les épaules et le dévisage d'une mine renfrognée.

— Tu n'as vraiment, vraiment aucun goût, Ludo. Je ne sais pas pourquoi papa s'obstine à vouloir t'emmener dans ce genre de…

— Je ne suis pas un malade mental, moi ! De voir ce… truc, ça me fait mal au cœur !

Lise soupire, puis abandonne son frère pour traverser la galerie. Elle croise quelques personnes souriantes et rejoint son père, Nathan Bartel, homme avenant, élégant, proche de la cinquantaine.

Nathan, pensif, se concentre devant une toile représentant une jeune femme blonde qui enlace un enfant, son enfant, assise près d'une fenêtre derrière laquelle se découpe une campagne printanière.

— Papa… (Nathan ne réagit pas, hypnotisé, admiratif devant la toile.) Hé ! Papa ! insiste Lise. Elle se met à tirer sur le manteau de son père.

Nathan sort de ses songes et esquisse un sourire.

— Oui… Que veux-tu, ma chérie ?

— Tu devrais laisser ton sale gosse de fils à la maison la prochaine fois. Il n'a vraiment pas la fibre…

Interrompant la diatribe juvénile, un couple distingué salue Nathan. Il échange alors un sourire charmeur avec la jeune femme magnifique qui s'est retournée sur lui. Offusquée, Lise la fustige du regard tandis qu'elle s'éloigne. Bartel esquisse une moue malicieuse en découvrant la réaction de Lise. L'impétueuse Lise. Il se rembrunit soudain et consulte sa montre.

— Écoute, Lise chérie ! Je dois y aller, maintenant… Il jette un œil aux alentours. Je vais vous laisser avec votre mère, d'accord ?

Il repère alors Céline, très élégante dans sa robe rouge de créateur. Une coupe de champagne à la main, elle discute avec un petit groupe d'artistes et de critiques.

Comme d'habitude, quand elle est contrariée, Lise entortille sa longue mèche blonde en fusillant son père du regard.

— Tu ne restes jamais très longtemps avec nous, papa…

— Je suis désolé… Je te promets que la prochaine fois…

La mine boudeuse, elle tourne les talons et se dirige vers sa mère. En remarquant Lise, exaspérée, qui s'approche d'elle à grands pas, Céline dévisage son mari. Ils échangent un clin d'œil complice. Nathan localise alors son fils. Assis sur un petit canapé, il s'absorbe dans la contemplation de l'écran de sa console. Partagé entre le dépit et l'amusement, Bartel secoue la tête et sort de la galerie.

Quartier d'affaires Luciline – Rouen Ouest, les anciens docks. Au sommet d'une tour de verre, le sigle BMF de la compagnie Bartel Micro France surplombe la Seine.

Les couloirs affichent des nuances écrues et les murs capitonnés sont insonorisés. Élisa, secrétaire à talons aiguilles, remonte sa paire de lunettes bleues sertie de faux diamants sur son petit nez retroussé. Elle avance d'un pas déterminé aux côtés de son patron, Nathan Bartel. Il salue ostensiblement chaque salarié tout en feuilletant ses dossiers.

— Le contexte ne s'y prête vraiment pas. Nous verrons l'année prochaine, lance-t-il soudain sur un ton sans appel.

— Nous verrons ? s'étonne-t-elle. Elle se tait, mais sur son visage se lisent les interrogations, le doute même.

— En réalité, je n'en sais rien. Je ne laisserai pas mes employés risquer leur vie dans des territoires hostiles.

Elle hésite : D'autres sociétés le font, monsieur...

— Pas la mienne. Je préfère perdre quelques millions et m'installer ailleurs.

— Seriez-vous un saint, monsieur Bartel ? Un chevalier blanc ?

— Comment, Élisa, vous en doutiez ?

Nathan sourit avant d'ouvrir la porte qui donne sur le bureau de sa jeune secrétaire qui sert d'antichambre au sien. Un vase et une dizaine de roses rouges concèdent au lieu un peu d'humanité. Nathan tend le dossier à Élisa, traverse la petite pièce, et pénètre seul dans son sanctuaire. Elle secoue la tête, soupire en levant les yeux au ciel, puis s'installe derrière son ordinateur.

La nuit est tombée depuis peu. La température, excessive pour un mois de mars, donne l'impression que l'été s'approche. Une mélodie jouée au piano résonne dans la salle de réception d'un hôtel particulier dont les portes fenêtres s'ouvrent largement sur les jardins à la française. Les invités en tenue de soirée se déplacent entre le salon et le parterre illuminé par une multitude de projecteurs de couleurs. La fontaine du bassin pleure de l'eau bleue et rose créée par une batterie de néons sous-marins – pas besoin d'ecstasy pour être en extase.

Dans le luxueux salon Louis XVI, des valets immobiles et poudrés gardent les portes. Une pianiste, le dos aussi raide qu'un piquet, interprète magistralement un nocturne de Chopin.

Debout, au centre d'un groupe d'invités attentif, Nathan Bartel apprécie le talent de l'artiste.

Sur sa gauche, à quelques mètres, il sent depuis un moment un regard posé sur lui. Il se tourne discrètement vers une femme ravissante, accrochée au bras d'un vieil homme aux paupières lourdes. L'élégante lui offre son sourire le plus enjôleur. Nathan fait signe à un serveur, s'empare d'une coupe sur le plateau, s'approche de son admiratrice et la lui tend. Il incline la tête, lève son champagne, puis se dirige en silence vers la terrasse. Elle le suit du regard en effleurant le cristal de Bohème de ses lèvres.

Nathan avance vers la rambarde. Chaque convive qu'il croise le salue en manifestant un respect non feint. L'homme d'affaires scrute les environs et laisse son verre sur le parapet pour contempler un instant le magnifique ciel étoilé. Il remarque soudain une femme. Sa robe noire moulante et échancrée s'ouvre largement sur le dos. Il s'approche d'elle au plus près – elle frémit – il l'enlace et dépose un baiser au creux de son cou. L'étreinte est charnelle, le moment intense. Céline se retourne, souriante, amoureuse. Ils s'embrassent avec une telle passion qu'on les croirait amants du premier jour.

— Que fais-tu ici, seule, dans l'obscurité, mon amour ?

— Tu le vois bien. J'ai envie de partager cet instant avec toi. Ils sont si rares.

— Mais tu les apprécies ?

— Je les apprécie. Oh, oui ! Je les apprécie… Ils s'étreignent plus longuement cette fois.

Au fond de la propriété, dissimulée par des buissons taillés en boule qui, dans les ténèbres, font penser à des créatures fantastiques, une forme humaine immobile observe le couple derrière des jumelles.

3

Une brume matinale et spectrale baigne le square Jules Verne. Comme à son habitude depuis qu'il exerce ses fonctions au sein de Bartel Micro France, Nathan court. Moment sacré lui permettant de réfléchir à sa future journée sans que personne ne vienne interférer dans un programme qu'il souhaiterait inamovible, réglé comme du papier à musique.

Mais ce matin-là, rien ne va. Bartel, indécis, préoccupé, éprouve des difficultés à se mettre dans le bain, à prendre son rythme.

Il ne le sait pas encore, mais son passé le rattrape. Tout commence avec cet homme qui le double. Nathan s'interroge. Il croit le reconnaître. Il veut l'interpeller, mais se retient. Il préfère le suivre, intrigué par sa silhouette familière. Soudain, il se décide. Il faut que j'en aie le cœur net, pense-t-il... Il accélère et se porte à sa hauteur.

Il voit enfin le visage du coureur et le temps semble s'arrêter. L'espace d'une fraction de seconde, il aperçoit son double. Il l'examine et murmure un nom.

— Nat… ?

Le joggeur le considère d'un air surpris, méfiant. Au même instant, Nathan, lui, se sent stupide, voire honteux. Alors, il le salue d'un geste maladroit et, sans plus attendre, change de direction. Il a rêvé. Halluciné, peut-être. L'homme, l'homme qu'il a cru reconnaître, comme un reflet dans un miroir, ne lui ressemble en rien.

Nathan continue sa course. Hanté par de sombres pensées, il voudrait se perdre dans l'effort physique. Mais il arrive devant un bac à sable et le jeu d'un garçonnet et de sa petite sœur attire ses yeux. Le gamin pousse la fillette hilare dans une brouette en plastique. Soudain, pan pan ! les doigts repliés en forme de pistolet, il fait mine de lui tirer dessus. Elle feint de tomber, raide morte. Nathan se fige, mal à l'aise. Il a la nausée. La gosse ouvre les yeux, deux pierres noires perdues dans un visage blafard. Elle le fixe. Nathan titube. Il se sent oppressé. Il rejoint le banc le plus proche, s'effondre. Il tente de reprendre son souffle, ses esprits. Il n'a pas vu l'homme assis à côté de lui. Brun, dans la trentaine, personnage étrange, comme surgi d'une photo en noir et blanc. Fantomatique, regard absent fixé sur l'horizon, son costume date d'une autre époque. Nathan le remarque soudain et le dévisage. Une sorte de spectre, songe-t-il, mais son visage lui paraît bizarrement familier. Un détail lui a échappé cependant et quand il en prend conscience, il défaille : autour du cou de l'homme, une corde. Il veut fuir, décoller de ce foutu banc, mais ses jambes lourdes semblent incapables de le porter. Tout à coup, la corde se tend et emporte l'inconnu dans les airs avec le bruit insupportable des cervicales broyées. Le pendu se balance à l'arbre. Nathan le fixe de ses yeux horrifiés. Un téléphone sonne…

En sueur, Nathan sursaute. Il suffoque. Il se redresse alors et reprend lentement connaissance au son strident de son portable. Le prénom qui rassure : « Céline », clignote sur l'écran. Le pendu a disparu. Nathan se retourne vers le bac, les deux enfants rient et remplissent leur brouette de sable. Il inspire, souffle longuement, s'essuie le front d'un revers de manche et finit par décrocher.

— Oui, ma chérie. Ça va… Tard, oui. Ne m'attendez pas… Ludo a encore oublié son sac de sport… Oui… De qui il tient, ce petit gars…? Je t'aime aussi. Bonne journée.

Nathan, hagard, secoue la tête. Il espère n'avoir rien fait paraître. Il range son portable, respire profondément, lève des yeux las. Autour de lui, la vie suit son cours normal. Chaque fois, c'est la même chose. Il reprend son mobile et cherche trois lettres dans le répertoire : PSY… Après un instant de réflexion, il l'éteint. Il s'apprête à le glisser dans sa poche quand il se remet à sonner – numéro inconnu.

— Nathan Bartel, oui !

— Bonjour, monsieur. Je suis le Docteur Goldman de la clinique de l'Europe à Rouen. Je vous appelle au sujet de votre frère, Nathaniel Bartel.

Surpris, Nathan se redresse sur le banc. Il regarde autour de lui, secoue la tête, dans un désarroi total, et bredouille en répétant le prénom de son frère : Nathaniel…

— Vous avez bien un frère qui porte ce nom, n'est-ce pas ?

— En effet, mais…

— Il est à la clinique. Je suis au regret de vous apprendre qu'il est dans un état critique…

Nathan reste sans voix. Des flashes de sa plus tendre enfance envahissent alors son esprit.

Sa mère court dans les champs de blé. Elle joue avec ses jumeaux.

Son frère et lui, assis sur le tronc d'arbre courbé devant le manoir. Ils admirent le coucher de soleil en écoutant les chants des oiseaux, le clapotis de la rivière qui traverse la propriété.

Le docteur Goldman se manifeste à plusieurs reprises sans obtenir de réponse.

— Monsieur Bartel, vous m'entendez ?

Les bruits et les images du passé cessent d'un coup. Nathan distingue à nouveau la voix de son interlocuteur.

— Monsieur Bartel ?

— Oui, oui… Excusez-moi, docteur. Vous disiez que mon frère avait eu un accident ?

— Votre frère est mourant. Je suis vraiment navré… Pourriez-vous venir immédiatement à la clinique ?

— Bien sûr. J'arrive, répond-il, la voix éraillée.

— Merci, monsieur Bartel. Nous vous attendons.

Le médecin raccroche. Tête baissée, désorienté, Nathan range son téléphone et se relève. Il avance en chancelant dans l'allée du parc, hagard, comme si le temps présent n'existait plus. Une femme âgée, une gitane aux longs cheveux gris le bouscule, elle lui attrape le bras. Nathan recule brusquement. Elle insiste.

— Voulez-vous les lignes de la main, mon beau Nathan ? Je peux vous apprendre beaucoup de choses.

Une seconde de flottement, pas de réaction. Nathan dévisage la vieille femme au visage raviné comme un désert de roches.

— Comment savez-vous mon nom ?

Elle laisse planer le doute quelques instants avant de lui répondre : Pour qui me prenez-vous, monsieur Bartel ? Je regarde les actualités télévisées, moi ! Le patron de Bartel Micro France… Pas besoin de lire dans une boule de cristal pour le connaître. Alors, vous me suivez ?

Garé le long du parc, un camping-car antédiluvien se pare de guirlandes d'ampoules colorées. Affiché sur son flanc : « Annabella –

Voyance ». Paré d'un sourire, dissimulant son malaise, Nathan refuse l'invitation d'un geste. Il s'éloigne en hâte, troublé par le regard clair, perçant et le sourire édenté de la gitane. Après quelques mètres, il s'arrête net, tergiverse un instant, se retourne soudain en voulant lui adresser la parole... Elle a disparu.

4

La vapeur emplit la grande salle de bains au design épuré, bois massif et transparences étudiées. On distingue à peine la silhouette de Nathan sous la douche. Posé sur le marbre de la vasque, l'écran du téléphone portable s'allume quelques secondes, puis s'obscurcit. Un spot grésille et finit par s'éteindre – Nathan fait glisser la porte de la cabine et braque les yeux sur l'ampoule grillée. Sur les nerfs – perturbé par ce détail banal de la vie quotidienne –, il attrape sa serviette d'un geste vif et sort.

Il rejoint le salon clair et luxueux au son du « Werther – Pourquoi me réveiller ? », de

Massenet. Accrochés aux murs, quelques toiles, paysages de campagne aux couleurs irréelles, nus de femmes au fusain, et une gravure en cuivre représentant deux petits anges identiques et souriants. Sur le manteau de la cheminée, des trophées de sports, une photo de famille. Un miroir ancien, dont la peinture écaillée du cadre, détonne avec le mobilier moderne. De la baie vitrée, on aperçoit le jardin, sa piscine et un cerisier en fleurs. Le téléphone fixe se met à brailler. La serviette autour de la taille, il baisse le volume et s'empare du combiné.

— Allô ? Allô ?

Nathan examine l'écran du fixe – appel masqué. Il écoute un moment, croit entendre une faible respiration, puis la ligne sonne occupée. Il réfléchit, raccroche, irrité par ce genre de blague idiote. Sans attendre davantage, il compose un numéro.

— C'est moi. Vous avez essayé de me joindre, Élisa ?

— Non, monsieur Bartel.

Nathan fronce les sourcils, secoue la tête et reprend la parole.

— Je vais être en retard. Annulez mes rendez-vous de la matinée, ordonne-t-il d'un ton sec.

— Ah… Bien, monsieur, mais… ? Élisa semble aussi surprise qu'embarrassée.

Nathan raccroche sans plus d'explications. D'une brusque pression sur la télécommande de la chaîne, il arrête la musique. Il s'approche d'un percolateur installé sur le comptoir séparant le salon de la cuisine et fait couler un café qu'il déguste face à la baie vitrée donnant sur le jardin. Le regard perdu dans les branches du cerisier en fleurs, il distingue soudain le rire bref et lointain d'un enfant puis, quelques secondes plus tard, ses pleurs. Nathan pousse la porte-fenêtre et tend l'oreille. Des oiseaux sifflent. Il essuie les gouttes de sueur qui perlent sur son front.

***

Vêtu d'un élégant costume bleu nuit, d'une chemise blanche et d'une cravate bordeaux, Nathan sort du garage de sa propriété au volant de son Audi A8. La voiture traverse l'allée de gravillons clairs jusqu'à la grille en fer forgé qui

24

se referme automatiquement après son passage. Plongé dans ses pensées, ses souvenirs, tourmenté par l'appel du médecin l'informant de l'état de santé de son frère jumeau, il n'entend pas son portable sonner.

Sa mère jeune et souriante qui prend ses enfants dans les bras.

Le regard triste de l'un des jumeaux debout devant le cerisier au tronc contourné.

L'arbre, dépouillé, nu, squelette désarticulé qui se fond sur le ciel grisâtre.

L'enfant laisse échapper quelques larmes tandis que son frère passe à côté de lui en poussant une brouette remplie de feuilles mortes...

Nathan sort d'un bureau de tabac du centre de Rouen, et rejoint d'un pas pressé son A8. Avant de grimper à bord, il ouvre d'un geste nerveux le paquet de cigarettes qu'il vient d'acheter tout en observant un groupe de punks qui s'enivrent à quelques mètres de lui. Le meneur lui adresse un doigt d'honneur. Bartel porte la Craven à sa bouche en défiant le petit con du regard, puis entre dans sa voiture. L'œil fixé sur le rétroviseur intérieur, il surveille le type qui avance toujours en sirotant sa bière. Nathan appuie sur l'allume-cigare, attend qu'il s'éjecte et l'approche de sa cigarette. Il tire une bouffée comme s'il n'avait pas fumé depuis une éternité. Le jeune mec dégingandé arrive à la hauteur de l'Audi et donne un coup de pied dans le parechoc arrière. Provocation gratuite… Nathan, sur les nerfs, sort brusquement de la voiture. Il se précipite vers le punk et, en un éclair, le cloue contre le coffre et lui bloque la respiration de son avant-bras. L'homme d'affaires a une force impressionnante, une force acquise à force d'exercices, de pratique, de sueur. Le souffle coupé, le marginal n'en revient pas de s'être laissé maîtriser si aisément. Le regard halluciné de l'homme d'affaires l'a calmé. Cette force à la fois mentale et physique, cette acuité hors du commun, Nathan l'emploie parfois dans le business dans le but d'imposer ses idées à ses rivaux les plus dangereux.

— J'imagine que tu as glissé et que ton pied a malencontreusement heurté ma voiture ?

Le punk est si impressionné qu'il en lâche sa bouteille de bière, qui se brise sur le trottoir. Maintenu par Nathan, tel un tigre agrippé à sa proie, il finit par hocher la tête, et baisse les yeux.

Nathan relâche la pression, le gosse titube vers sa bande qui n'a pas levé le doigt pour l'aider. Il est accueillit par des sifflets et des moqueries. Nathan s'en amuse, quelques secondes, puis il reprend sa place dans l'Audi, et démarre en trombe.

Ses yeux rougeoient. Une larme coule sur sa joue. Il tire trois bouffées de cigarettes, l'écrase dans le cendrier, perdu dans les méandres de ses pensées. Les kilomètres défilent sans qu'il s'en rende compte. Il arrive, se gare au parking. Il attend, lutte contre les fantômes d'un passé ténébreux, isolé du monde entier dans l'habitacle de sa voiture stationnée au pied de la clinique de l'Europe. Il sort. Se dirige machinalement vers l'entrée et lève les yeux sur les étages. Son frère jumeau agonise dans l'une de ces chambres. Nathan songe une fraction de seconde, la peur au ventre, qu'il n'y aurait peut-être rien d'autre à faire que d'assister impuissant aux derniers instants de Nathaniel.

5

Nathan entre dans l'immense hall, son paquet de cigarettes à la main. On le dévisage, on le juge. Un malade en fauteuil roulant s'interpose, un vieillard confus, pupilles dilatées par les médicaments, qui lui adresse des gestes obscènes, poussé par une infirmière blasée. Elle l'entraîne vers les ascenseurs. Nathan rempoche ses Craven sans filtre en arrivant devant le comptoir à l'accueil.

— Bonjour…

La réceptionniste hoche la tête sans même lever les yeux vers lui.

Nathan poursuit : Le docteur Goldman m'attend. Bartel. Nathan Bartel.

— Oui… Un instant… Elle l'interrompt d'un doigt autoritaire pour répondre à un appel. Je vous le passe…

Maquillée outrageusement, parfumée à l'excès, la quinquagénaire compose à la vitesse de l'éclair un numéro sur le clavier de son téléphone. Elle daigne enfin regarder Nathan et lui adresse un sourire professionnel. Lui se contente de tapoter nerveusement sur le comptoir.

— Monsieur Bartel est à la réception, docteur… Elle acquiesce trois fois tout en inspectant ses longs ongles mauves, puis raccroche le combiné. Le docteur Goldman va vous recevoir tout de suite. Deuxième étage, bureau 213.

Nathan, silencieux, opine et se tourne vers les ascenseurs. Sans presser le pas, il avance dans le gigantesque hall d'accueil effrayé à l'idée de ce qui allait se produire. Des années après la violente dispute, qui les avait brouillés, revoir Nathaniel raviverait les drames de leur enfance.

Patients, visiteurs et membre du personnel se croisent, se bousculent, se cognent. Imperméable à ce flux d'humanité chamarrée, Nathan entre sans réfléchir dans le premier ascenseur qui s'ouvre devant lui, suivi par un groupe d'infirmières complices qui le dévisagent en gloussant discrètement derrière leurs dossiers colorés. Les portes se referment. Il reste les yeux rivés sur le panneau de contrôle, sans même s'apercevoir que l'une des jeunes femmes, plus audacieuses que les autres, le fixe du regard. Il prend soudain conscience de l'odeur, une vague puanteur, mélange de désinfectant et de nourriture qui lui donne la nausée. L'ascenseur arrive enfin, la porte s'ouvre.

Nathan pénètre dans un long couloir où résonnent les râles de patients invisibles. Sur les murs immaculés, des paysages d'Afrique, familles d'éléphants ou gazelles en pleine course, succédané de décoration, ersatz de vie. À mesure qu'il avance, Nathan se sent oppressé. Il essaie de respirer, de se calmer. En vain. Il n'arrive pas à se libérer du fardeau qui semble peser des tonnes sur sa poitrine. À l'autre bout du long couloir, en contre-jour, une large silhouette vêtue d'une blouse s'extrait d'un bureau pour se diriger vers lui.

— Monsieur Bartel ? La voix grave résonne.

Nathan acquiesce, la gorge trop nouée pour répondre de vive voix. Le médecin s'arrête devant Bartel. Il le sonde, le dévisage, examine discrètement l'homme d'affaires blafard qui transpire à grosses gouttes.

— Je suis le docteur Goldman. Le praticien, trapu, replet, s'interrompt et fronce d'épais sourcils grisonnants. Vous allez bien, monsieur Bartel ?

Nathan opine mollement. Goldman fait la moue, hausse les épaules, et lui fait signe de l'accompagner.

Ils pénètrent dans un nouvel ascenseur. Sans attendre, Goldman appuie sur un bouton. Nathan remarque soudain que l'homme en blanc manipule un stylo. Sans cesse, il le tourne et retourne entre les doigts. Le mouvement l'hypnotise et, éperdu, désorienté, il fixe la porte sous le regard professionnel du médecin.

— Vous ne l'avez pas vu depuis quelque-temps, n'est-ce pas ?

Nathan acquiesce, toujours silencieux.

Goldman reprend : D'après lui, ça faisait quelques mois…

Nathan paraît surpris. S'agit-il de la remarque du spécialiste ou de son accoutrement curieux ? Bartel vient de découvrir le nœud papillon rouge et la chemise vert pomme de Goldman.

Mais son monologue continue : Vous savez, il n'a sans doute plus la notion du temps. Ce qui arrive souvent dans ce genre de situation.

Nathan sent qu'il doit répondre. Il sait que son malaise pourrait passer pour du détachement, voire de l'insensibilité. Il ne veut surtout pas qu'on puisse se faire une mauvaise opinion de lui. Alors, tête basse, il se force à regarder le médecin.

— De quoi souffre-t-il, docteur ?

Goldman finit par esquisser un sourire grimaçant, un rictus, satisfait d'avoir enfin une réponse, un interlocuteur. Toutefois, pour lui, le plus dur reste à venir et il hésite.

— C'est difficile à dire.

Nathan relève le menton. Il affronte désormais le spécialiste, ses yeux clairs rivés sur ceux de Goldman.

— Je vous écoute.

— Votre frère semble avoir été comme usé par le temps. Ce n'est pas fréquent. Il paraît avoir vieilli prématurément.

— Comment ça, prématurément ?

À la sortie de l'ascenseur, les deux hommes empruntent un couloir, réplique exacte de celui qui distribuait l'étage inférieur.

— Vous connaissez la progéria… ?

Nathan acquiesce, mais son expression trahit sa curiosité.

— C'est une maladie génétique rare, extrêmement rare. Elle touche les enfants en bas âge et se caractérise par un vieillissement prématuré et accéléré. Les personnes affectées ont l'apparence et la physiologie d'un vieillard.

— La progéria ? s'étonne Nathan. Mais comment est-ce possible ? Ce n'est pas un enfant.

— Il en possède tous les symptômes… Goldman s'arrête brusquement devant une porte et sans plus de considération, la désigne à Bartel. Je vous laisse avec lui. Vous savez où me trouver.

Nathan contemple l'entrée de la chambre 66. La silhouette massive de Goldman disparaît au détour d'une petite salle.

Bartel hésite, il observe le couloir d'un côté, puis de l'autre. Une enfant chauve sort soudain d'une chambre et passe près de lui. Une cicatrice larde la moitié de son crâne. Elle lui offre son plus beau sourire – il parvient à le lui retourner. Il agrippe alors la poignée. Et pousse la porte.

La pièce est plongée dans la pénombre, le silence. Un mince rayon de lumière filtre entre les stores. Nathan découvre une silhouette prostrée, perfusée. Le bip des machines paraît assourdissant. Bartel, qui avance jusqu'au lit, reconnaît à peine Nathaniel. Ébranlé, ému, Nathan s'effondre sur une chaise. Il considère le visage de son frère jumeau et croit se voir lui-même, tel un vieillard aux portes de la mort.

Dans un champ de blé, balayé par le vent, les jumeaux, âgés de huit ans brandissent leur fusil en plastique. Une balle imaginaire frappe l'un des frères qui tombe et disparaît entre les chaumes.

Nathan émerge à peine de son rêve éveillé qu'il aperçoit le regard fixe, apeuré, de Nathaniel, posé sur lui. Un frisson le traverse.

— Nat… marmonne Nathaniel. Il esquisse un sourire. Ses lèvres sèches et ridées tremblotent.

— Nat… répète Nathan qui se lève aussitôt pour s'approcher du lit. Il dévisage son jumeau dans un état désespéré et s'en veut terriblement de ne pas trouver les mots appropriés.

— Plaisir de te voir… lâche Nathaniel dans un souffle.

— Que s'est-il passé ? demande Nathan, hébété.

— Je… pouvais plus… Excuse-moi… Excuse-moi…

— De quoi parles-tu, Nat ?

— Cesser…

Nathan s'approche, il tend l'oreille pour s'efforcer de distinguer les paroles presque inaudibles de son frère qui poursuit : Toute cette abomination, c'est…

— Qu'est-ce que tu veux dire ? Je ne comprends pas… Écoute, tu ne m'as pas donné de nouvelles depuis vingt ans… Il faut que tu me racontes.

Désorienté, hébété, Nathaniel regarde à présent vers la fenêtre occultée par un store. Il balbutie : Alors… ce n'était pas toi ?

— Quoi ?

Nathaniel examine de nouveau son jumeau. Il rive ses yeux sur ceux de Nathan et semble vouloir fouiller au plus profond de son âme.

— Quelqu'un cherche à me tuer… reprend-il d'une voix rauque et désespérée. J'ai cru…

— C'est ridicule, Nat. Tu es très malade. Le docteur Goldman a dit…

Brusquement, Nathaniel fait signe à Nathan de se taire, puis lève la main vers la fenêtre.

— Tu veux que j'ouvre le store ? demande Nathan, hésitant. Sur un geste insistant de son frère, il finit par le remonter.

À la lumière du jour, il découvre les traits cadavériques de son jumeau. La peau blafarde, les veines bleues éclatées qui zèbrent entièrement le visage et les avant-bras, les yeux jaunes marbrés de sillons sanguinolents qui semblent s'enfoncer dans des orbites creuses. Sous le choc, Nathan titube vers sa chaise.

— Qu'est-ce qui t'arrive, Nat... ? murmure Nathan, sidéré.

— Souviens-toi... Il est temps... Ne le laisse pas...

Nathan se penche de nouveau vers son frère, à demi persuadé que Nathaniel divague, qu'il hallucine sous l'emprise des médicaments qui s'écoulent depuis plusieurs semaines dans son corps.

— Parle-moi... Je t'écoute...

— « Roseraie »... l'arbre de vie... l'arbre...

— C'est quand on était gosses. Mon pauvre, tu délires.

— La cache... du pic-vert...

Nathaniel convulse. Nathan panique.

— Nat ? Attends ! Je préviens le docteur !

Nathan s'arrache de son siège, s'empare de la sonnette d'appel quand Nathaniel lui saisit la main d'une poigne étonnamment forte. Il tremble de tous ses membres, mais fixe Nathan droit dans les yeux.

— Pardonne-moi… Il m'a puni… Ne le laisse pas prendre ton âme… Ne le laisse pas, tu m'entends ?

— Tu n'as rien à te reprocher… Tu sais que tu n'as rien à te…

Nathaniel se raidit brusquement, son regard paraît s'échapper vers un autre monde. Il est parti.

— Nat…

Le bras décharné retombe sur le drap blanc. Nathan détourne ses yeux embués vers la fenêtre. Il frotte son poignet douloureux et contemple le ciel embrasé de lumière.

6

Une fine brume, percée par les puissants rayons d'un soleil bas, donne aux tombes du cimetière Monumental de Rouen une réelle magnificence. Au centre du lieu saint, un groupe de personnes en tenue sombre, tête inclinée, écoute les bonnes paroles d'évangile du prêtre aux cheveux grisonnants. Sa longue robe blanche et l'étole mauve de circonstance flottent dans une brise légère. Au pied de la sépulture, Emma, la mère de Nathan et de Nathaniel, parvient à contenir son émotion. Elle frissonne, appuyée sur sa canne en chêne verni dont le pommeau en or représente un félin. Autour d'elle, la famille Bartel et les amis proches se recueillent. Un peu plus loin, Ludovic et Lise, qui ne semblent visiblement pas concernés par la solennité de l'évènement, ne cessent de se disputer. Depuis un bon moment, Céline tente de les calmer. En vain.

— Arrêtez tout de suite, tous les deux… ordonne-t-elle le plus discrètement possible.

— Mais, c'est Ludo !

Céline fronce les sourcils et pose son index sur la bouche. Pourtant, Lise poursuit : Dis maman, pourquoi on ne l'a jamais vu, le frère de papa ?

Sans répondre, Céline détourne les yeux et observe Nathan. Debout, à ses côtés, pensif et sombre, il s'absorbe dans la contemplation du prêtre qui prononce les derniers sacrements d'une voix affectée. Bartel croise alors le regard accusateur de sa mère – elle fixe son fils froidement, elle ne tremble pas – et ne parvient plus à le soutenir.

Soudain, à l'autre bout du cimetière, dans les brumes vaporeuses, un mouvement attire son attention. Il repère la vieille gitane rencontrée au parc. Mais il ne remarque pas, plus près d'eux, sous un chêne centenaire, un homme brun vêtu lui aussi d'un costume anthracite. Il observe la cérémonie en grattant nerveusement sa barbe de trois jours.

***

L'horizon rougeoie dans le ciel dégagé d'un splendide crépuscule. L'Audi A8 se gare devant les grilles en fer forgé d'une vaste propriété. Sur la plaque, jadis dorée, mais toujours solidement rivée au mur d'enceinte, se lit un nom : « La Roseraie ». Bartel fouille la boîte à gants à la recherche de la télécommande, la braque vers le portail et presse un bouton. Une discrète lumière orange s'allume, les deux pans métalliques tressaillent, mais se bloquent à mi-chemin. Nathan s'extirpe de son véhicule et appuie plusieurs fois. Rien. Exaspéré, il finit par pousser de toutes ses forces sur la grille, qui cède, et remonte dans sa voiture.

Il se gare devant l'entrée du manoir, sur le tapis de graviers blancs envahi de mauvaises herbes. En sortant de l'Audi, il en arrache quelques-unes d'un air contrarié, puis il lève les yeux vers la fenêtre de la chambre maternelle, à l'étage. La lumière est allumée. Il grimpe sur le perron et se retourne pour observer le vieil arbre au tronc double qui se découpe sur l'horizon ; l'un des troncs se recourbe et touche presque le sol, l'autre se tend vers le ciel. D'ici, on entend la rivière couler en bordure du domaine. Nathan inspire profondément. Il songe à cet endroit si calme, si tranquille. En apparence en tout cas, car il cache pourtant nombre de souvenirs douloureux.

Il redescend les quelques marches, traverse la vaste pelouse et se dirige vers le cerisier, quand il se rappelle les dernières paroles de son frère.

« Roseraie... Arbre de vie... La cache... du pic-vert... »

Arrivé devant l'arbre, il se retourne et jette un coup d'œil vers le manoir. Au même instant, dans la chambre de sa mère, la lumière s'éteint. Il embrasse du regard les formes torturées et sombres des chênes qui peuplent le petit bois balayé par le vent. Puis, Nathan pivote et scrute les alentours, afin de s'assurer que personne ne le surveille. Du bout des doigts, il effleure le tronc droit du cerisier. Sa main s'arrête soudain au niveau d'une cavité. D'autres images du passé surgissent alors…

« Ils ont neuf ans. Camouflés par de hautes herbes, Nathan et Nathaniel observent le pic-vert qui s'acharne sur l'écorce. L'un des enfants se redresse tout à coup et jette un caillou qui atteint sa cible. Le coupable, surpris à la fois par son habileté et par ses conséquences, se sauve en

courant. *Son frère ramasse l'oiseau mort et l'enterre près de l'arbre.* »

Nathan sort une lampe torche de sa poche et l'allume. Il braque le rayon lumineux dans la cavité – un volatile s'en échappe brusquement. Il sursaute, le mouvement de recul est instinctif. L'espace d'un instant, il suit le vol de la corneille qui s'évanouit, derrière lui, dans la nuit, puis se rapproche du tronc et glisse sa main avec précaution dans l'obscurité moite. Rien. Il la ressort, tapote le bois. Parfois, il sonne creux. Enfin, il abandonne l'idée, bat en retraite et éclaire l'arbre. Nathan reste figé, pensif, un long moment. Les branches contournées se découpent sur l'horizon rougeoyant et donnent l'impression de vouloir s'emparer de lui, le soulever dans les airs. Il éteint la torche.

***

Une lampe s'allume – une lampe de banquier à l'abat-jour d'opaline posée sur le secrétaire Empire aux boiseries patinées par le temps. Nathan ouvre la pochette blanche portant le logo et l'adresse de la clinique de l'Europe remise par le docteur Goldman au décès de Nathaniel. Le jumeau y trouve des documents d'identités, des clichés… Le manoir et ses environs, la rivière, le cerisier au tronc double, le bois derrière la bâtisse, au fond de la grande propriété.

Nathan, perplexe, s'interroge sur la banalité de cette dernière image. Il chasse cette idée de son esprit, range les photos et reprend la carte d'identité. Elle date déjà de plusieurs années. Il fixe son attention sur l'adresse – la banlieue sud de Rouen. Nathan réfléchit un instant. Pourquoi n'avait-il pas revu son frère jumeau durant toutes ces années alors qu'ils vivaient tous deux à quelques kilomètres de distance ? Il secoue la tête, glisse la carte d'identité dans sa poche et l'enveloppe dans l'un des tiroirs du secrétaire.

Décor de banlieue résidentielle banale, non loin d'une grande agglomération. Pelouses sur lesquelles des enfants jouent au football ou se bagarrent, peupliers étiques. Murets cachant les poubelles. Bâtiments anonymes, impersonnels. La surprise se lit sur le visage de Nathan : comment Nathaniel avait-il pu choisir de vivre dans ce genre d'endroit ? Il vérifie l'adresse et le numéro avant d'entrer dans le petit immeuble à trois étages. Le hall sent la friture. Sur les boîtes aux lettres, pas de trace du nom de son frère. Un gamin dévale l'escalier quatre à quatre – Nathan l'interpelle.

— Excuse-moi. Est-ce que tu connais monsieur Bartel qui vit ici, dans cet…

Le gosse ne s'arrête pas et passe devant Nathan en secouant la tête. Il sort en trombe. Il a sans doute mieux à faire que de répondre à un étranger.

Nathan hausse les épaules et entreprend de frapper aux portes. Il visite l'immeuble en moins de vingt minutes – personne n'a entendu parler de Nathaniel Bartel. Son frère n'a probablement jamais habité ici.

Nathan s'éloigne.

7

Cinq mois plus tard.
Plateau nord de Rouen. Bihorel.

En ce jour d'été, une atmosphère de fête baigne dans la grande maison des Bartel. La piscine et le vaste jardin arboré se parent pour l'occasion de ballons multicolores, de lampions, de cotillons et d'une banderole « Joyeux Anniversaire Ludovic ». Il souffle à l'instant les dix bougies de l'énorme gâteau au chocolat en forme de ballon de rugby – son sport favori. Sa mère le couvre de baisers sous l'œil attendri de Nathan, tandis qu'une dizaine d'enfants hurlent de joie et lancent confettis et serpentins.

Un couple d'amis quadragénaire a aidé les Bartel à organiser l'anniversaire de Ludovic. Blonde comme les blés, Caroline a un physique de déesse. Elle coupe le gâteau. Nathan, tout sourire, lui fait signe qu'il veut une grosse part. Mais le mari, Frédéric, le genre costaud un peu rondouillard, jette un œil noir à son épouse qui, en toutes circonstances, ne peut s'empêcher d'affirmer son côté « femme fatale ». À l'autre bout de la table, Céline, penchée, console Annie, la meilleure amie de Lise ; à l'aide d'une éponge, elle tente d'essuyer les taches de jus de raisin sur la petite robe à l'origine toute blanche.

Le téléphone se met tout à coup à sonner. Nathan perd son sourire et passe de la terrasse en bois exotique au salon pour décrocher le combiné. Céline l'observe. Elle remarque le changement d'attitude de son mari, dont le visage se décompose soudain. Elle s'approche de la baie vitrée.

— Qu'est-ce qu'il y a, Nat ?

— C'est ma mère, répond-il d'un ton grave.

***

Le hululement lointain d'un hibou retentit dans la nuit. Sur la terrasse du manoir familial, Nathan, assis dans la pénombre, reste immobile sur son fauteuil. Il contemple le vieil arbre au double tronc qui se découpe sur l'horizon empourpré. Sa silhouette torturée ressemble à la fêlure qui larderait un miroir antique. Le portable de Nathan résonne soudain et, brusquement, il l'extrait d'une poche de sa veste – Céline s'inscrit sur l'écran. Nathan décroche et parle d'un ton neutre, prudent, comme hébété.

— Oui… Je suis encore au manoir. Il s'interrompt. Non, je vais rentrer. Diane… Oui, la voisine. Elle a proposé de rester au chevet de maman. La voix de Nathan s'entrecoupe. Oui. Moi aussi, je t'aime…

Il range le mobile et inspire profondément en fermant les paupières. Quand il les rouvre, il croit apercevoir un mouvement à la lisière des chênes devant la propriété. Un frisson le traverse. Il se lève aussitôt, pose les mains sur la rambarde et, penché, scrute le petit bois d'un œil inquisiteur – rien, pas âme qui vive. Des rafales fouettent la cime des arbres. Soudain, une porte grince derrière lui. Il détourne la tête. Une femme, dont l'allure excentrique ne dissimule pas les origines bourgeoises, le gratifie d'un sourire rassurant.

— Votre mère s'est endormie, annonce Diane. Vous pouvez y aller si vous le souhaitez.

Nathan, qui investit le vieux bois râpé par le temps d'un pouvoir apaisant, pose de nouveau les mains sur la balustrade avant d'observer la nuit, inquiet, troublé. Une obscurité dans laquelle il chercherait des réponses à tous ses maux.

— Je ne comprends pas pourquoi elle s'obstine à vouloir rester seule ici, avoue Nathan dans un souffle.

Diane, à son tour, vient s'appuyer sur la rambarde. Un sourire attendri flotte un instant sur ses lèvres. — Vous la connaissez. Elle exècre l'idée de finir sa vie dans une maison de retraite. Tous ses souvenirs hantent ces lieux.

— Je sais… Il opine, l'air inquiet. Mais encore une chute comme celle-là, et elle se rompra le cou. Les paroles lui viennent facilement face à cette femme dont, pourtant, il ignore tout ou presque. Elle ne veut même pas prendre la chambre du bas. Je voulais quelqu'un pour l'aider ici en permanence, mais elle a toujours refusé. Nathan se redresse devant Diane et poursuit : Depuis la mort de notre père, elle n'a jamais souhaité que je fasse restaurer le manoir. Je ne sais plus quoi faire… Il se met à bafouiller. Elle… Elle… Cet endroit est un vrai piège, vous comprenez ?

— Que voulez-vous y faire ? l'interroge Diane. On ne peut pas l'emmener de force. Emma est un peu sauvage, sans doute, et elle a son caractère. Mais, rassurez-vous, le docteur a dit qu'elle allait bien. Elle est solide. Il n'y a vraiment pas de quoi s'inquiéter. Ayez confiance, Nathan.

Nathan dévisage Diane. Ses paroles le réconfortent.

— Merci beaucoup, Diane. C'est très obligeant de votre part de vous occuper de maman.

— Je suis sur cette Terre pour aider mon prochain. L'existence que j'ai menée me permet aujourd'hui de faire mes propres choix. Je le fais également pour vous, Nathan.

Elle pose alors une main affectueuse sur le bras de Nathan. Embarrassé, vaguement troublé, il acquiesce et cherche un instant ses mots. Je ne vous remercierai jamais assez… Et puis, inquiet, craintif, il recule et se retrouve adossé à la porte. Il faut que j'y aille.

Le visage de Diane s'étire en un curieux sourire. Nathan dévale la volée de marche et se dirige à grands pas vers sa voiture.

Diane l'observe et la certitude se lit sur ses traits au charme austère. Nathan ne la laisse pas indifférente. Sa main survole la rambarde, à l'endroit même où Nathan avait posé la sienne. Elle la relève, vient effleurer sa joue, remet une mèche en place et revient dans la maison.

En arrivant devant l'Audi, Nathan jette un œil sur le bois qui cerne la propriété. Toujours rien, toujours aucun mouvement. L'air soucieux, il se retourne et regarde une dernière fois vers le manoir avant de se glisser derrière le volant.

8

La salle de musculation est presque vide à cette heure tardive. Vêtu d'un short et d'un tee-shirt moulants, dos sur un banc, visage crispé, Nathan soulève une barre avec des haltères. Tous ses muscles se tendent et, sur la dernière de la série du « développé couché », ses bras vibrent sous l'ultime effort, se ménageant juste assez de force pour replacer la barre en sureté sur ses crochets. Il se redresse, souffle, attrape sa serviette accrochée au portant métallique, se relève, éponge la sueur de son visage et de son cou tout en s'installant sur la planche à abdos.

À quelques mètres, Fred pédale péniblement, plus intéressé par les deux jeunes femmes qui s'étirent sur une barre de danse en pouffant que par l'effort physique. D'un air las, Fred consulte sa montre et lâche le guidon. Il s'empare de sa serviette et la pose sur son crâne en gonflant ses joues rouges. Il interpelle Nathan.

— J'en ai marre, j'arrête.

— Ça fait à peine une demi-heure.

— Oui, une bonne demi-heure, mais deux fois par semaine ! Et puis Caroline m'attend. On va au restau, ce soir, ajoute-t-il, égrillard. Salut Nat !

Nathan hausse les épaules et esquisse un sourire en voyant son ami gonfler le torse devant les jeunes femmes.

Mais il redevient vite sérieux et continue de travailler ses abdominaux. Lorsqu'il détourne la tête, il croise le regard d'une habituée. Elle lui adresse un clin d'œil. Il ne réagit pas avant d'avoir terminé sa dernière série et, en passant devant son admiratrice, il lui sourit. « Bon courage, » lui souhaite-t-il en montrant son alliance. La jeune femme dépitée cesse de pédaler.

Dans les douches désertées, Nathan, paupières closes, laisse couler l'eau glaciale sur son visage, sur son corps, à présent accoutumés à ce traitement de choc – traitement qu'il s'inflige à la fin de chaque séance. Tonifiant et antistress. C'est ce qu'il prétend, en tout cas.

***

Le Paradise Purple, quartier Luciline, donne sur les quais. C'est un bar de nuit au décor pourpre, à l'éclairage tamisé, aux aquarelles flamboyantes ; un lieu où l'on vient s'encanailler après sa journée de travail. Et faire du lien social. Et conclure des affaires. Max, le nouveau barman, embauché sur son physique davantage que pour ses cocktails ou son esprit d'à-propos, pose un verre devant Nathan : « Monsieur Toni est servi ! » En même temps, il lance des œillades assassines aux deux femmes assises à l'autre extrémité du comptoir.

— Merci, Max… répond Bartel, vaguement amusé par les outrances du loufiat qui joue au Tom Cruise normand en faisant tournoyer son shaker sous le regard énamouré des clientes.

Toni… C'est le nom sous lequel il s'était présenté la première fois sur les conseils d'un confrère, patron d'une boîte d'import-export. Une couverture que certains ont tout intérêt à entretenir, comme le secret de leurs passades avec les « hôtesses » ou les autres clients…

« Toni » scrute la salle. Il cherche quelqu'un. Il aperçoit soudain une rousse plantureuse. Il la salue d'un hochement de tête discret et se penche de nouveau sur le comptoir, mais elle vient s'asseoir à ses côtés.

— Tu vas bien, Toni… ?

Nathan acquiesce sans conviction.

L'hôtesse, Delphine, poursuit : Tu m'offres un verre ?

Son vœu est vite exaucé. Elle pose la main sur l'avant-bras de Nathan et lève les yeux au ciel.

— Tu as l'air ravi de me voir. Ça fait plaisir. Elle fait la moue. Mauvaise journée ?

— Pas spécialement.

Nathan finit par regarder « Delphine », Bénédicte, en fait. Elle s'était confiée un soir. Il se souvient de son pedigree. Bénédicte Delaforge, dite « Delphine » a la quarantaine. Originaire d'une famille aisée de Haute-Normandie, très catholique, voire intégriste. Il l'observe. C'est une belle femme, elle a une certaine classe, mais son passé l'a marquée. Maîtresse du PDG d'une banque d'affaires. L'erreur de sa vie : elle y avait perdu son boulot, son logement de fonction, son mari et la garde de son enfant unique. Quant à sa famille, elle l'avait laissé choir inexorablement.

Elle n'interrompt pas la rêvasserie de Nathan qui, les yeux dans le vide, fait tourner son whisky, et elle se contente de sourire aux habitués, de son sourire enjôleur et sombre. Elle finit par boire son cocktail cul sec. — Tu as raison, Toni. Pas besoin de longs discours pour me séduire.

Certains auraient trouvé la chambre originale, d'autres, outrancière et vulgaire : meubles roses en bambou, dalles de verre colorées au sol. Des voiles filtraient la lueur dispensée par le lampadaire situé juste devant la fenêtre donnant sur le quai de la Seine. Sur le lit recouvert d'une couette framboise bordée de dentelles, un chat noir ronronne. Nathan est affalé dans un fauteuil en rotin. Les yeux vitreux, il fixe une croûte quelconque représentant subtilement un volcan en éruption. Delphine, à genoux, finit ce pour quoi il l'avait payée. Elle redresse la tête, l'observe – aucune réaction. Elle se relève et va s'asseoir devant sa coiffeuse. Elle fouille dans son sac à main, en sort un mouchoir en papier avec lequel elle s'essuie, arrange sa coiffure en quelques gestes expéditifs, et s'applique à remettre du rouge à lèvres.

— Tu sais ce que devient Sophia ? lui demande soudain Nathan.

— Tu cherches vraiment à me vexer ou quoi ? C'est à elle que tu penses quand je te…

Il l'interrompt, excédé : Non, Delphine. J'ai juste envie de la voir, c'est tout.

Elle plisse les lèvres, tamponne les coulures de maquillage. Elle réfléchit un instant, immobile, puis répond :

— Je ne l'ai pas vue depuis longtemps. Elle a peut-être pris sa retraite. Sophia, c'était un vrai top model. Elle se faisait un max.

Le doute ronge Nathan. Sophia n'aurait pas disparu sans le mettre au courant. Il se lève à son tour, perplexe, et dévisage Delphine. Il daigne lui adresser un vague sourire en posant deux billets de 200 € sur la coiffeuse, termine son verre et sort de la chambre sans ajouter un mot. Le chat noir rejoint alors les bras de sa maîtresse qui hausse les épaules.

— Merci, Toni ! ironise-t-elle. À bientôt ! Si j'ai des news, je te fais signe. Et elle conclut, en direction du félin : Tu es gentil, toi, au moins.

Les lampadaires éclairent le quai d'une lumière crue. Nathan sort de l'immeuble mitoyen du Paradise Purple. Il s'arrête un instant au bord de la Seine pour admirer la ville qui scintille dans la nuit. Mais très vite, il consulte sa montre et retourne vers sa voiture.

22h45. Dans un recoin sombre, un homme braque ses jumelles et le suit du regard.

Par cette belle journée d'été, dans le jardin des Bartel, les enfants s'amusent dans l'eau en compagnie de ceux des Cassel. Fred souffre le martyre en jouant au tennis de table avec l'athlétique Nathan tandis que Caroline et Céline bronzent en maillot de bain de l'autre côté de la piscine. De son côté, Andréa, la jeune domestique brésilienne, met le couvert pour le dîner.

L'œil sombre, l'air désabusé, un verre d'alcool à la main, Caroline observe les deux hommes torse-nu. Céline feuillette une revue, distraitement, quand elle s'adresse à son amie.

— Freddy a encore pris un peu d'embonpoint. C'est ça que tu regardes ?

— Une vraie barrique ! note Caroline avec un sourire espiègle. Je vois que Nathan, lui, a perfectionné ses tablettes de chocolat.

— Nat s'entraîne quasiment tous les soirs en ce moment. Il doit préparer les prochains Jeux Olympiques, ajoute-t-elle d'un ton ironique.

— Il ne pourrait pas entraîner un peu mieux mon gros Fredo ? grommelle Caroline. Ça ne lui ferait pas de mal. Ce n'est pas une petite heure de muscu par semaine qui va lui redonner sa ligne d'antan... D'ailleurs, je ne suis plus trop sûre qu'il ait eu la ligne un jour.

Les remarques acerbes de plus en plus fréquentes de Caroline préoccupent Céline. Elle hésite un instant avant de lui en parler.

— Ça ne va pas mieux tous les deux ?

Caroline ne répond pas immédiatement et réagit avec un temps de retard. Son sourire mêle à la fois la dérision et l'amertume : Le « mieux » est déjà bien loin derrière nous.

Le soleil est engloutit par l'horizon, mais la température reste élevée. Andréa sert le dîner aux Bartel et à leurs invités sur la terrasse. Replaçant une mèche brune rebelle, la jeune employée de maison croise le regard dense et brillant du mari de Caroline. De son côté, Céline lutte en toute habitude avec les enfants qui jouent à se jeter du pain, pendant que Fred et Nathan discutent en dégustant leur verre de Moët et Chandon dans leur coin. Toujours un œil volatile aimanté par les formes généreuses d'Andréa, Fred pose son verre sur la table, se recule, et fait tourner une batte de base-ball entre ses mains, batte reçue en cadeau lors d'un séjour sportif aux États-Unis datant de sa prime jeunesse.

— Avec ton GPS, si tu maîtrises un peu les nouvelles technos, et je sais de quoi je parle, tu peux te connecter à celui de ton voisin « ou de ta voisine », explique Fred en appuyant son speech d'un clin d'œil limite pervers. Et sans qu'il n'en sache rien. Tout le monde va bientôt pouvoir s'espionner en toute impunité ! Ce n'est pas top génial ça ?

— Je ne sais pas si c'est « top génial », mais ça promet un beau boxon en perspective.

— Encore une fois et pas de dessert pour tous les quatre ! lance Céline qui s'évertue à ne pas perdre ses nerfs.

— De toute façon, j'aime pas les desserts, marmonne Ludovic.

— Je peux prendre ta part, alors ? demande Lise, gourmande.

— Et qu'est-ce que tu me donnes en échange ?

Après réflexion, elle saisit la chaîne en argent pendue autour de son cou et la tend à Ludovic qui pouffe de rire.

— Moi, je la veux bien ta jolie chaîne ! Les yeux de Mathilde brillent d'admiration.

De son côté, la petite Zoé examine son front rougi dans un plat en argent.

— J'ai attrapé un coup de soleil, maman.

— Mets ton chapeau la prochaine fois, Zoé.

— Toi aussi tu as attrapé un coup de soleil sur le nez, ma chérie ! ironise Fred.

Le regard vitreux, Caroline ne sourit pas et ingurgite la fin d'un autre Mojito.

Soudain, Zoé se sert du plat en argent comme d'un chapeau. Céline écarquille les yeux, mais garde son calme.

— Ce magret de canard est fabuleux !
Bravo Andréa !

— Merci, Madame, répond la jeune et
avenante Brésilienne.

— En effet, c'est délicieux, Andréa.
Merci… ! renchérit Nathan. Fred, Caro, vous en
pensez quoi ?

— J'ai toujours aimé la cuisine d'Andréa,
lance Fred qui goûte une nouvelle fois ses formes
tandis qu'elle repart dans la maison.

— Tu pourrais peut-être l'engager de temps
en temps chez nous, rétorque Caroline aussitôt.
Après tout, si elle aussi bonne baiseuse que
cuisinière.

La réplique jette un froid dans l'assistance.
Zoé se tourne vers sa mère et l'interroge : Maman,
c'est quoi une bonne bai…

— Oh, lala ! Et si on allait… l'interrompt
Céline, dans la panique, écœurée par le
comportement des parents de la petite. Zoé ! Si on
allait chercher les desserts ensemble ?

— Oh ! Chouette ! De toute façon, moi,
j'aime pas le regret de canard.

Céline l'entraîne vers la cuisine. Les autres
enfants, bizarrement silencieux, renoncent au

dessert et retournent dans le jardin. Frédéric dévisage son épouse. Il se lève à son tour, s'éloigne et continue de jouer avec sa batte de base-ball sur la pelouse. Il la lance soudain au loin et s'allume une cigarette. Les yeux embués, Caroline échange un regard embarrassé avec Nathan.

***

La nuit est tombée, le temps a tourné. D'énormes nuages noirs s'accumulent dans le ciel tourmenté, zébré par les éclairs. Au loin, l'orage tonne. La fenêtre de la chambre de Céline et Nathan est grande ouverte. Nus, enlacés sur le lit, les corps se balancent à l'unisson, souffles chauds et sueur se mêlent. Les mouvements lents et sensuels accélèrent soudain en impulsions brutales, rythmées par les coups de tonnerre qui font vibrer les ténèbres.

Loin de là, l'orage atteint son paroxysme au-dessus du manoir Bartel. La foudre s'abat tout à coup sur l'arbre séculaire dans un vacarme assourdissant. La lumière de la chambre de Diane s'allume presque aussitôt ; on devine sa silhouette derrière les vitres voilées de fins rideaux de dentelle.

Au petit matin, le calme est revenu sur la maison Bartel. Le ciel retrouve ses teintes céruléennes dans la brume de chaleur. Une forme spectrale crève le brouillard. Un grand châle en laine sur les épaules, Diane s'avance jusqu'au tronc éventré. Elle se penche au pied du vieil arbre et s'arrête un instant. Elle tend la main et ramasse un petit coffret métallique dans le bois calciné, regarde alors autour d'elle, interloquée, perplexe et se décide soudain. Elle ouvre la boîte et y trouve un carnet jauni et une chaîne en or sur laquelle pend un minuscule crucifix. En repartant vers le manoir, Diane aperçoit, enfoncée dans les herbes, une barre de fer tordue et noircie.

Nathan se réveille en sursaut. Céline, nue sous le drap, réagit au mouvement brusque de Nathan en grognant. Mais elle replonge aussitôt dans le sommeil. Nathan tente de reprendre son souffle – son cœur s'est emballé. Il a l'impression d'avoir couru un cent mètres. Il s'assied dans le lit. Un cauchemar, sans doute, mais il n'en a aucun souvenir. Après avoir retrouvé son calme, il tourne son regard vers Céline et se délecte de ses courbes admirables sous la soie, ses longs cheveux bruns et épais qui descendent telle une vague le long de son dos nu. Les toucher, les caresser, ce n'est pas l'envie qui lui manque, mais il ne veut surtout pas la réveiller. Alors, il détourne les yeux et observe le jour qui tente de filtrer à travers les lourds rideaux. Il se lève, s'approche de la fenêtre à pas de loup. Céline l'a refermée pour la nuit, après qu'ils ont fait l'amour avec une ardeur qu'il n'avait pas ressenti depuis longtemps. Il écarte les voiles. Son regard se pose sur le jardin et, très vite, il redevient grave. Il revoit les derniers moments de son frère jumeau. Malgré tous ses efforts, il ne parvient pas à s'abstraire de ces terribles images.

Il tourne le dos à la fenêtre, prend sa montre sur la table de chevet – 5h45. Nathan sait que le sommeil va de nouveau lui échapper.

9

Les phares puissants de l'Audi transpercent un brouillard dense. Nathan conduit, pilote plutôt, attentif au moindre obstacle, au moindre animal qu'il peut croiser et sur ces départementales de campagne, c'est chose courante.

Arrivé en ville, il est soulagé, même si la brume met du temps à se dissiper. Entre ses ébats avec Céline et son étrange réveil cauchemardesque, la nuit n'a pas été vraiment reposante. Il sourit tout seul au volant de l'Audi arrêtée à un feu rouge quand il aperçoit du coin de l'œil la bande de jeunes punks qu'il avait rencontrés quelques semaines plus tôt. Leur chef le repère au même instant. Le groupe se met en branle, s'approche d'un pas décidé de celui qui les avait humiliés.

Nathan cogite, le pied sur l'embrayage. Le gosse aura-t-il sa revanche ? Il tient un patron, un bourgeois à sa merci. Une belle journée en perspective pour le rebelle de pacotille. De l'autre côté du croisement, le feu passe au rouge – Nathan n'attend pas que celui de sa file change –

il démarre en trombe, manque d'écraser le gamin qui s'est jeté devant la voiture. L'Audi A8 échappe aux bouteilles d'alcool qui se brisent sur la chaussée. Le punk adresse un bras d'honneur piteux vers le fuyard.

Dans la salle de réunion aux stores baissés, Germain Kessler, la fine fleur des ingénieurs de Bartel Micro France se lève. Souriant, passionné, l'ancien d'Intel et de la Silicon Valley caresse d'une main son crâne chauve et brillant, remonte ses lunettes rondes, puis désigne le schéma de l'ordinateur quantique qui se déploie sur un écran couvrant la moitié du mur. Tous ses collaborateurs l'écoutent religieusement. À l'autre bout de la longue table ovale en bois laqué, Nathan semble pour sa part très loin, distrait.

— D'après vous, messieurs, quel est le temps d'exécution d'un ordinateur quantique ? (Le silence flotte, on échange des regards.) En fait, pour qu'un ordinateur quantique exécute une tâche plus rapidement qu'un ordinateur classique, il faut exploiter sa puissance de calcul en parallélisme quantique. Ces algorithmes sont difficiles à élaborer et on peut les compter sur les doigts d'une main : l'algorithme de Shor et celui de Grover. Exemple : on estime qu'un ordinateur classique nécessiterait 10 millions de milliards de milliards d'années pour factoriser un nombre constitué de 1000 chiffres. En appliquant l'algorithme de Shor, on obtiendrait un résultat en… vingt minutes !

Un véritable brouhaha secoue la salle. Kessler le laisse retomber avant de poursuivre : Selon les estimations de Gershenfield et Chuang, l'ordinateur quantique pourrait voir le jour dans moins d'une génération, si les progrès à venir se maintiennent au taux actuel…

Le téléphone portable de Nathan vibre. Le PDG de Bartel Micro France s'extrait de ses pensées et se lève. Il adresse un bref signe de tête à Kessler, lui demande de continuer sans lui et sort. Germain caresse son crâne, opine en souriant et reprend la parole : Voyons à présent de quelle manière Bartel Micro France va se placer dans la course au développement de l'ordinateur quantique.

Une main agrippée au téléphone, l'autre dans la poche, le pas pressé, Nathan traverse de longs couloirs en direction de son bureau.

— Oui, Diane. Quel arbre ? Nathan s'interroge une fraction de seconde avant de secouer la tête. Un coffret… C'est si important ? D'accord, je passerai en fin d'après-midi. Ma mère, va-t-elle bien… ? Bien, merci ! À tout à l'heure, Diane.

Pensif, voire soucieux, Nathan ralentit un instant et range son portable. Deux employés le croisent et le dévisagent d'un air bizarre. Il fronce les sourcils, se retourne sur eux, renfrogné, passe devant Élisa, sans un mot, et pousse la porte de son bureau.

Fatigué, las, il s'effondre dans le large fauteuil en cuir et se tourne vers la baie vitrée. Dans le ciel, un nuage énorme et gris progresse lentement et semble absorber la lumière sur son chemin. Sa forme lui rappelle celle du vieux cerisier au manoir. Les paroles de Nathaniel résonnent de nouveau, pareilles à une litanie insane.

Roseraie… Arbre de vie… La cache… du pivert…

Nathan contemple la nuée. Regard fixe, vitreux. Comme en transe.

***

Il redresse sa tête lourde, défait son nœud de cravate déjà lâche. Il a du mal à ouvrir les yeux et il éprouve l'étrange sentiment de s'être assoupi pendant des heures. Il remarque son costume froissé et sale, surtout au niveau du bas de pantalon. Il sent une présence. Élisa, sur le seuil du bureau, devant lui, masque son embarras en jouant à l'écervelée. Ça lui va si bien. La voix de la jeune femme lui paraît lointaine.

— … Six heures, Monsieur Bartel. Six heures…

— Quoi ? grommelle le PDG.

La voix d'Élisa devient plus claire.

— Je dois y aller, Monsieur. Il est six heures.

Nathan se redresse sur son siège, complètement déboussolé. Il vérifie sa montre qui indique bien 18h05. Il grimace, hoche la tête.

Élisa semble inquiète : Ça va aller, Monsieur ?

— Bien sûr, Élisa… Pourquoi cela n'irait-il pas ?

— Monsieur, je ne veux pas me mêler de ce qui ne me regarde pas, mais… À voir l'état de votre costume, je me dis que vous avez peut-être eu un petit problème.

Nathan observe à nouveau les traces de boue et, confus, répond : Ce n'est rien… J'ai… J'ai été éclaboussé… par un taxi et…

— À la campagne ?

Nathan manifeste un certain agacement. D'un sourire gêné, Élisa ouvre grand les yeux avant de conclure : Bien. Alors, si vous n'avez plus besoin de moi, bonne soirée, Monsieur. À demain !

— Bonne soirée, Élisa.

Elle se fait minuscule en sortant du bureau de Bartel. Lui se sent éreinté. Il a l'impression d'avoir passé une journée éprouvante. Une journée dont il n'a aucun souvenir. La tête entre les mains, il soupire.

Il se lève, se débarrasse de sa veste en la jetant sur un canapé. Il déboutonne sa chemise et ouvre une penderie.

Lunettes de soleil sur le nez, Nathan fulmine, coincé dans les embouteillages du centreville de Rouen. Il s'empare de son téléphone puis appuie sur la touche deux. Après trois sonneries, la voix de Céline se fait entendre.

— Oui, Nat !

— Je dois passer au manoir, Cel, mais je suis encore bloqué dans le centre. Ne m'attendez pas pour manger…

— Un problème avec ta mère ?

— Non, rien de grave…

— Tu ne vas pas dîner là-bas ?

— Non, mais de toute façon, je serai en retard. Il faut que j'y aille. Je t'embrasse…

— OK, bise…

Nathan raccroche et repose son portable sur le siège passager. D'un coup d'œil, il remarque des traces de boue sèche sur le revêtement. Il relève ses lunettes de soleil, réfléchit, troublé, et du revers de la main, il balaie la terre. Nathan finit par s'extraire des embouteillages, sort de la ville et gagne la petite route qui mène au manoir. Sur sa droite, il aperçoit deux chevreuils qui bondissent avec grâce au milieu d'un champ de blé.

***

En passant la grille ouverte de la Roseraie, Nathan découvre au loin les restes de l'arbre calciné. Il gare sa voiture devant la maison et perche de nouveau ses lunettes de soleil au sommet de son crâne. Il descend de l'Audi, observe les alentours, vaguement nostalgique. Il se crispe soudain en observant le vieux cerisier mort, quelques secondes, avant de se détourner pour grimper les marches vers l'entrée. Mais il s'arrête à la vue de la porte entrouverte. Un mauvais pressentiment l'envahit.

— Diane ? Vous êtes là ? Il murmure d'une voix hésitante.

Il se retourne et, du regard, balaie de nouveau le paysage. Personne, pas un bruit, pas le moindre chant d'oiseaux ni même un léger vent à la cime des peupliers. Un calme étrange, angoissant, règne sur la propriété. Le temps semble figé. La porte grince tout à coup et rompt le silence oppressant. Circonspect, Nathan avance, la pousse du bout des doigts. Il entre.

À cet instant, le grand hall évoque pour Nathan l'une de ces vieilles demeures écossaises hantées. Les rais de lumière sculptent des formes surnaturelles dans les recoins les plus obscurs.

Nathan s'immobilise et ôte ses lunettes de soleil avant de les ranger dans la petite poche de sa veste. Son regard est immédiatement attiré vers l'escalier. Installé sur la plus haute marche, Homère, le chat noir d'Emma, tel le Sphinx, considère le nouvel arrivant d'un œil dédaigneux. Nathan se tourne vers le grand salon, à sa droite, où il distingue la silhouette rigide de sa mère, assise de dos sur un fauteuil en cuir marron élimé.

— Mère ?

Le parquet en bois vernis craque sous les pas de Nathan. Curieusement, Emma ne semble pas l'avoir entendu. Le bras tendu vers elle, il répète : C'est moi… Avant que sa main ne se pose sur l'épaule de sa mère, Nathan découvre soudain, sur le plancher, devant le siège, le corps de Diane. Ensanglanté. Un tisonnier maculé gît près de la femme inerte. Emma tourne son visage parcouru de spasmes vers son fils et, non sans mal, articule quelques mots : Il a encore fait une grosse bêtise.

Choqué, Nathan recule, vacille, il prend appui sur le coin d'une table et fait tomber le coffret trouvé par Diane. Les yeux exorbités, Nathan est focalisé sur la boîte… vide.

Sa vision se trouble, s'obscurcit.

10

Assis derrière le bureau Louis XV du petit salon, le lieutenant Wodelski, homme brun au visage émacié, le début de la quarantaine mais qui parait largement dix ans de plus, sans doute un flic au profil habituel, usé par un boulot oppressant, et une surcharge de travail où les fameuses 35 heures par semaine tournent plutôt autour des 70. L'homme, qui est affublé d'un costume sombre bon marché, gratte sa barbe grisonnante. Face à lui, impatient, Nathan tapote du bout des doigts sur le dossier de son fauteuil avec la curieuse impression qu'il a déjà croisé ce type.

Dans la salle de réception, de l'autre côté du hall, des techniciens de la police scientifique, vêtus de combinaisons blanches, achèvent leurs minutieux prélèvements. Ils ont glissé le corps de Diane dans un sac hermétique avant de l'évacuer sur un brancard. Nathan jette parfois un bref regard sur toute cette agitation. Quant au lieutenant Wodelski, manifestement, rien ne peut l'atteindre. C'est le genre de policier borné qui ne lâche rien. Il interroge Bartel sans relâche, attentif aux moindres de ses gestes, de ses paroles. Nathan se sent plus suspect que témoin.

— Votre mère m'a dit que vous aviez perdu connaissance ?

Nathan n'est pas à l'aise devant le flic dont le ton acerbe lui paraît accusateur. Pour se rassurer, il imagine qu'il ne fait que son boulot, que tout le monde est traité à la même enseigne.

— Oui… Depuis l'enfance, la vue du sang me fait cet effet-là. J'ai aussi des pertes de mémoire…

Les coudes sur le bureau Louis XV, Wodelski se caresse le menton et fixe Nathan d'un regard pénétrant.

— Vous avez subi un choc durant votre enfance, monsieur Bartel ?

La question éveille de brèves scènes du passé, des visages marquants qui reflètent les moments flous de sa vie de famille : un homme pendu, un oiseau mort, une brouette poussée par un gamin…

— C'est probable, répond Nathan d'une voix éraillée. Il fronce les sourcils, plisse ses yeux embués, comme s'il cherchait à s'enfoncer dans les zones interdites de sa mémoire… Mais je ne me souviens pas de l'élément déclencheur.

Le policier semble surpris par l'émotivité à fleur de peau de Bartel. Il en est presque embarrassé.

— Ça va aller, maintenant ? Sinon, je peux repasser plus tard.

Nathan se reprend et refuse d'un geste.

Wodelski ouvre un petit carnet et poursuit : Nous avons noté vingt-quatre traces de coups sur la victime. Tous portés avec le tisonnier. Visiblement, dans la panique, l'assassin s'est acharné. Elle est morte dès les premiers coups.

Le flic lève les yeux vers Bartel. Curieusement, celui-ci reste de marbre. Il ne paraît pas touché par ces détails macabres.

Wodelski continue : Mais revenons-en aux documents que Diane Lambert a trouvés dans ce coffret. Ce dont elle vous a parlé au téléphone. Elle ne vous a rien dit d'autre à ce sujet ?

— Non, rien. Je vous l'ai déjà dit, lieutenant. D'après Diane, il contenait un petit carnet et une chaîne en or avec un crucifix. Rien de grande valeur, apparemment.

— Mais ils ont disparu, pourtant ! s'exclame le flic devant Nathan qui admet d'un hochement de tête. Et maintenant, la question à mille euros, ajoute Wodelski. Vous voyez quelqu'un dans son entourage qui lui en aurait voulu particulièrement ?

Nathan affiche une certaine exaspération. Il regarde sa montre, ne dissimule rien de son impatience, mais daigne répondre : Non. Je connaissais très peu Diane Lambert. Bien qu'elle se soit installée à côté du manoir depuis quelques années déjà. Elle vivait seule. Une veuve.

— Et avec votre mère, ça se passait bien ?

Nathan opine sans pouvoir réprimer un sourire narquois.

— Que cache ce sourire, monsieur Bartel ? Vous savez, j'en ai vu des histoires pas ordinaires depuis que je fais ce boulot. Alors, si vous permettez... Wodelski prend un paquet de chewing-gum dans sa poche de veste, en offre un à Nathan, qui refuse. Quelles étaient leurs relations ? continue-t-il.

— Diane et Mère s'entendaient à merveille, répond froidement Nathan qui se souvient soudain de l'endroit où il a déjà aperçu Wodelski, au

moment où un autre flic apparaît dans l'entrée.
Plus rondouillard, en blouson et jeans, il s'adresse
à Wodelski.

— Voilà, Franck ! On a terminé.

— Ok, j'arrive…

Wodelski se lève à moitié, dévisage un
instant Nathan avec suspicion en mâchonnant son
chewing-gum, puis se redresse de toute sa hauteur
et s'apprête à sortir.

— Ce sera tout, pour l'instant, Monsieur
Bartel… Je vous tiens évidemment au courant de
l'évolution de l'enquête.

— Puis-je me permettre une question,
lieutenant ? lui demande Nathan.

Devant le silence du flic, Bartel poursuit :
Que faisiez-vous dans le cimetière, le jour de
l'enterrement de mon frère ?

L'inspecteur affiche un sourire embarrassé,
mais son visage devient grave.

Ma… mère… Je passe beaucoup de temps
sur sa tombe. Je suis désolé si je vous ai
importuné…

— Pas du tout… Je suis navré pour votre
mère, lieutenant.

Le flic détourne son regard embué vers la fenêtre et se signe.

— Ça ne date pas d'hier.

Wodelski renifle bruyamment. Il s'avance jusqu'à la porte, reprend ses esprits et se retourne vers Nathan : Ah ! Une dernière chose. Qui va s'occuper de votre mère, à présent ?

— Nous avons les moyens d'avoir une infirmière à domicile en permanence.

— Évidemment ! Pourquoi je n'y ai pas pensé plus tôt, moi ? Quoi qu'il en soit, s'il s'agissait d'un rôdeur...

— Un rôdeur ne reviendrait pas ici après son crime ? Rassurez-moi.

— Peu de chance, en effet... Mais vous savez, tout est possible dans ce monde de brutes.

Le lieutenant jauge Nathan d'un dernier regard en coin, gratte sa barbe et sort du bureau en silence.

Nathan s'interroge, soucieux. Wodelski a-t-il de réels soupçons à son égard ? Mais pourquoi en aurait-il eu ? Oui, pourquoi ?

***

La nuit n'est pas encore tombée sur Rouen. Les Bartel dînent en famille. Nathan n'a pratiquement pas touché à son repas. Il consulte ses messages pros sur son téléphone portable, mais il semble ailleurs, perdu dans d'obscures pensées. Céline cherche à attirer son attention depuis un moment, tente de lui remonter le moral en lui suggérant d'aller visiter l'exposition d'une amie dans une galerie de Rouen. De leur côté, les enfants se distraient comme ils peuvent. Ludovic, accroc à un jeu de guerre, triture sans ménagement une manette sans fil, ce qui agace manifestement Lise. Elle peine à se concentrer sur le livre qu'elle tient caché sur ses genoux.

— Mais, arrête ça, Ludo ! Tu me stresses, là, avec ton jeu !

— Calme ta joie, Lisette ! Et toi ! On t'a pas dit que c'était interdit par la loi des Bartel de lire à table ?

— Ah, parce que toi, tu as le droit de nous prendre la tête avec ton jeu débile !

Céline exaspérée intervient : C'est fini tous les deux, oui ? Lise, pose ce livre !

Ludovic éclate de rire. Céline le fusille du regard.

— C'est la même chose pour toi, Ludo ! Tu veux que je te confisque ta console toute la semaine ?

— Pas cool, ça, maman !

— Laisse-le, maman ! Laisse-le se griller son petit cerveau avec ses ondes, là !

— Moi, au moins, j'en ai un, de cerveau !

Céline fulmine. Elle se retient de les envoyer illico dans leur chambre.

— Dernier avertissement ! prévient-elle. Sinon...

Nathan se lève tout à coup, irrité par l'ambiance électrique. En temps normal, il a l'habitude de la gérer. Ou parvient à s'en abstraire.

— Je dois repasser au manoir... balbutie-t-il, soudain embarrassé. Céline semble surprise. Il poursuit : J'ai... J'ai oublié un document pour le lieutenant de police...

— Ça ne peut pas attendre ? demande Céline.

Mais il est déjà sorti. Contrariée, elle pose un regard songeur sur l'assiette de Nathan qu'il n'a pas touchée. Les enfants se dévisagent, étonnés, puis interrogent leur mère, la frimousse contorsionnée.

— Vous, terminez de manger. Il y a école demain.

Les phares de l'Audi 8 transpercent la nuit chaude et étoilée. Quand il est inquiet, Nathan roule trop vite sur la départementale qui mène au manoir. Peut-être du fait qu'il a toujours cette crainte, cette appréhension au sujet de sa mère. Elle habite seule depuis tant d'années. Un choix de sa part, un choix personnel. Emma n'avait vécu qu'à travers ses enfants. Et le jour où elle s'est retrouvée seule, sans ses petits, avait été une terrible déchirure. Une déchirure dont elle ne s'était jamais vraiment remise.

L'Audi 8 avance dans la Roseraie et se gare devant l'entrée. Nathan descend de voiture et remarque aussitôt les volets ouverts au rez-de-chaussée. Il soupire et scrute les alentours de la demeure. Combien de fois lui a-t-il dit que la maison est trop isolée ? Ça le démoralise. Maintenant que Diane a disparu, il doit convaincre sa mère de quitter cet endroit – rude bataille en perspective ! Il monte les marches de la terrasse tandis que le vent se met à souffler en rafales sur la propriété. Un dernier coup d'œil vers les éléments agités avant d'entrer dans la demeure.

Homère rejoint Nathan qui vient d'allumer l'imposant lustre en bronze et cristal qui surplombe le hall. L'animal se frotte un instant contre ses jambes avant de s'enfuir, la queue dressée, vers le petit salon. Bartel note que le siège électrique de la rampe d'escalier en bois massif est à l'étage, ce qui signifie que sa mère se trouve bien dans sa chambre. Il soupire, relativement soulagé. Il enlève ses chaussures afin de ne pas faire de bruit et se met à fermer tous les volets du rez-de-chaussée.

De retour dans le hall, Nathan retrouve le matou ronronnant qui, d'un bond, lui saute dans les bras. Il observe un moment le grand salon tout en caressant le félin. Il a encore à l'esprit les images terribles de Diane Lambert effondrée sur le parquet. Une boule obstrue sa gorge. Il finit par détourner son regard, comme s'il pouvait échapper à ces souvenirs effroyables et s'adresse à Homère.

— Tu vas bien prendre soin de ta maîtresse, n'est-ce pas ?

Les yeux ronds du chat d'Emma semblent briller de compréhension, mais soudain le félin tourne la tête vers l'étage. Une fraction de seconde plus tard, Nathan croit distinguer une voix lointaine, à peine un gémissement. Immobile, Nathan tend l'oreille… Plus rien. Je n'ai pourtant pas rêvé. Homère lui aussi a entendu quelque chose. Nathan relâche l'animal qui se précipite en haut et disparaît sur le palier sombre.

Bartel approche lui-même de la première marche. La plainte s'élève à nouveau, plus forte à présent. Ce n'est pas la voix d'une vieille femme – ce n'est pas sa mère. Des paroles, incompréhensibles, qui montent. Il doit en avoir le cœur net, alors il se rend dans la cuisine, fouille les tiroirs du buffet et en extrait une lampe de poche. Il revient au pied de l'escalier, allume la torche, et se décide à grimper.

Arrivé à l'étage, Nathan promène le rayon lumineux des deux côtés du couloir obscur – toutes les portes sont closes. Il hésite un moment, ne sachant où se diriger, puis opte pour la gauche, en direction de la chambre de sa mère. Il éclaire avec insistance le moindre recoin sombre. Aucune trace d'Homère... Où s'est-il caché, celui-là ? En passant devant l'une des pièces, il croit entendre les pleurs d'un enfant. Il écoute – pas un bruit suspect – juste le sifflement perçant du vent qui s'engouffre dans le grenier, au-dessus de sa tête. Il dirige la torche vers le plafond, le couloir – le froid et ce vide qu'il ressent lui procurent un bref frisson. Il recule de quelques pas, se retourne et avance vers les appartements d'Emma. Sa main droite se pose sur la poignée de la porte. Il la tourne – elle couine. Il entre...

Les meubles massifs, anciens, se dressent dans la grande chambre, de lourds rideaux rouges dissimulent entièrement les vitraux de l'une des vieilles fenêtres qui ouvrent chaque pièce de l'étage sur la façade. Curieusement, il fait moins sombre. Nathan éteint sa lampe. Surpris, il remarque une chandelle sur le manteau de cheminée, fichée sur un bougeoir en bronze du XVIIIe siècle. Le candélabre projette des ombres mouvantes et fantastiques. Emma, endormie dans son lit, s'agite en marmonnant.

Nathan s'avance l'air inquiet quand son regard est attiré par un reflet brillant sur le chevet.

Un crucifix monté sur une chaîne en or. Intrigué, il s'approche, soulève délicatement le bijou et se déplace pour l'examiner à la lueur de la bougie. Comme hypnotisé, il l'égrène pareil à un chapelet. Un murmure d'Emma le ramène soudain à la réalité. Il repose le crucifix sur la table de nuit et s'apprête à quitter la pièce lorsque la chandelle s'éteint. Il rallume sa torche, qu'il braque sur le plafond et découvre l'aération responsable du courant d'air. Nathan prend la bougie, sort un briquet et la rallume. Dans la lueur dansante, il remarque une forme derrière le miroir. Il passe sa main et en retire un carnet jauni – le carnet que Diane Lambert lui avait décrit. Sur la couverture, une écriture enfantine : « Réflexions Nathaniel ».

Nathan se remémore les mots de Diane et le rythme syncopé de ses paroles.

« Pendant l'orage, la foudre a frappé l'arbre. Vous savez, le cerisier aux deux troncs. J'ai trouvé un coffret. Oui, il devait être dissimulé dans cet arbre depuis bien longtemps… C'est plutôt important, oui. Il contenait un carnet au nom de votre frère et une chaîne en or avec un crucifix… Il y a des choses proprement incroyables ! Je ne peux pas vous en parler au téléphone. Si votre mère venait à apprendre cette abomination… »

Les yeux de Nathan s'écarquillent dans la pénombre. Il contemple le crucifix et sa chaîne en or, puis ouvre le petit carnet d'un geste vif. Troublé, comme sidéré, il lit quelques lignes rédigées par son frère jumeau. Son regard se fixe soudain sur la flamme de la bougie. L'effroi, puis la peur s'emparent de lui… Une peur qui se mue bientôt en une terreur qui ne le quitterait pas de sitôt.

Nathan secoue la tête, se reprend. Il descend au salon et s'assied dans un canapé. Il se plonge dans la lecture du carnet. Alors qu'il déchiffre les réflexions de Nathaniel, il a l'impression que la voix de son frère jumeau envahit son esprit.

Page 1 : Je m'en souviens bien. Il devait mourir. Ce bruit était tellement insupportable. Ce bruit incessant qui me tapait sur les nerfs. La pierre a été ma première arme. Ce pic-vert n'était pas innocent. Il l'avait bien mérité…

Page 2 : Depuis ce jour, j'ai appris que quelqu'un devait payer pour ce qu'on m'avait fait. Payer afin que j'oublie toute cette abomination…

Nathan relève la tête du vieux carnet, songeur. Il cherche un indice qui pourrait l'aider à se souvenir de ces instants, de ce passé qu'il a occulté depuis si longtemps.

— Qu'est-ce qui t'est arrivé, Nat ? dit-il à haute voix.

Qu'est-ce qui nous est arrivé ? ajoute-t-il en réalisant qu'il a peut-être sa part de responsabilité dans le comportement mystérieux de son frère jumeau.

Nathan se replonge dans le petit carnet et tourne la page. À la lecture des premières lignes, il devient livide.

Page 3 : Ma première victime humaine allait donc subir mon courroux. Elle était belle, jeune et innocente. C'est ce qu'ils croyaient. Elle était le diable en personne… Agnès avait osée…

Nathan, frémit. Il se redresse, fouille ses souvenirs. Il se rappelle à présent la jeune domestique. Il devait avoir dix ans, à peine… Des images s'entrechoquent dans sa mémoire fragile, des images sans paroles, trop lointaines…

Agnès, jeune fille aux longs cheveux noirs, tout juste âgée de dix-huit ans, range la chambre et retape le lit d'enfant. Elle regarde un instant par la fenêtre ; dans l'allée principale, la femme et son fils lui font un signe de la main en sortant de la propriété. Elle leur répond d'un geste, puis retourne à son labeur quand l'un des jumeaux entre. Il la dévisage, affiche un sourire énigmatique. Elle lui parle, lui adresse un clin d'œil tout en continuant de travailler.

Agnès remarque alors que la chemise du jeune garçon flotte. Elle s'en amuse et veut le rhabiller. Elle s'agenouille, passe ses mains dans le pantalon de l'enfant pour la remettre en place.

Mais il prend peur et la repousse violemment. Agnès tombe à la renverse – sa tête heurte un meuble – le sang coule. L'enfant chancelle. Son frère, vêtu de la même façon, entre précipitamment dans la pièce, le visage déformé par la terreur.

La voix de son frère résonne encore à l'esprit de Nathan.

— … Elle l'avait bien cherché, elle aussi…

Nathan referme le petit carnet, effondré.

— Ce n'est pas possible... Non... murmure-t-il.

Bouleversé, Nathan manque soudain d'air. Il se lève en hâte, ouvre la fenêtre, prend une profonde inspiration. À l'extérieur, par-delà l'arbre mort, le reflet de la lune effleure la rivière qui frissonne sous le vent. Des souvenirs obscurs et lointains jaillissent de sa mémoire et viennent s'entrechoquer dans l'esprit confus de Nathan.

L'un des jumeaux nettoie le sang sur le plancher de la chambre tandis que l'autre, tremblant, terrifié, reste assis sur le lit. Il se frotte les yeux, semble vouloir se réveiller d'un cauchemar effroyable.

Dans le petit bois, à travers les arbustes, l'un des jumeaux suit à bonne distance son frère. Il pousse la brouette dans laquelle il a tassé le corps. Arrivé au bord-de-l'eau, il fait basculer le cadavre d'Agnès dans le courant vigoureux.

Un journal local titre sur un dramatique « fait divers ». La photo d'Agnès accompagne l'article : « Une jeune fille se noie dans une rivière »...

En sortant du manoir, Nathan prend soin de refermer la porte. Avant de monter dans l'Audi, il songe un moment encore à ce qu'il vient de découvrir. Il s'assied derrière le volant et démarre en trombe.

11

Le vent d'Ouest commence à forcir. La lune imperturbable voit défiler devant elle un cortège de nuages empressés. La maison Bartel est endormie quand Nathan rentre. Il referme doucement la porte derrière lui. Angoissé, oppressé, il retire le carnet de sa poche, l'ouvre et se replonge dans sa lecture. Nathan s'arrête au milieu du salon, lève la tête et découvre son reflet dans le miroir ancien. Il reste un bon moment figé, les yeux rivés sur sa propre image, comme en transe.

Il se revoit enfant avec son petit pull rouge en laine. Il se regarde dans la glace. Nathaniel, vêtu du même pull, apparaît à ses côtés – il cache quelque chose derrière son dos, affiche un air sournois. Il montre soudain ce qu'il dissimulait – le pic-vert mort déterré.

Nathan sursaute au moment où Céline pose la main sur son épaule.

— Excuse-moi. Tu ne répondais pas. Elle remarque le carnet que Nathan tente maladroitement de soustraire à sa vue : Tu as trouvé le document que tu cherchais ? Pour la police ?

Nathan le glisse dans sa poche et s'efforce de sourire.

— Oui, c'est réglé…

Céline le dévisage, préoccupée : Tu es en sueur, Nat… Tu vas bien, tu es sûr ?

— Très bien… C'est juste cette histoire qui…

— Tu t'inquiètes pour ta mère, c'est ça ?

— Qui ne s'inquiéterait pas… ? Cette histoire avec Diane, c'est terrible. Je… Et si le coupable revenait et…

— Pourquoi reviendrait-il ? demande-t-elle, étonnée. Ce n'était probablement qu'un cambrioleur. Diane a dû le surprendre et, dans la panique…

— Tu as raison. Certainement… Je m'inquiète sans doute pour rien. Et cet abruti de lieutenant n'a rien fait pour arranger ça.

— Qu'est-ce qu'il t'a dit ?

Nathan réfléchit un moment, les yeux rivés sur ceux de Céline. Il hésite. Il tergiverse. Doit-il évoquer le carnet ?

— Nat… ? Dis-moi ce qu'il t'a raconté.

92

— Oh, rien. Rien de grave. Ce n'est simplement pas le plus futé des flics.

Elle sourit avant de le prendre dans ses bras. Il renonce à lui parler. Ce n'est pas le moment. Quant à Céline, elle se dit qu'il faut faire quelque chose. Elle n'aime pas le voir dans cet état.

— Et si tu passais quelques jours là-bas, à la Roseraie ? Tu serais rassuré ?

Nathan l'enlace. Il finit par se détendre. Il saisit délicatement les joues de Céline entre ses paumes et lui sourit à son tour.

— Je ne sais pas ce que je serais devenu sans toi.

— Tu sais ce qu'on dit : Derrière un grand homme, il y a toujours une femme dans l'ombre.

— Une grande femme.

Céline opine. Elle effleure le visage de Nathan en fronçant les sourcils. Elle se mordille la lèvre inférieure.

— Quoi ? Il lui sourit, de ce sourire en coin qu'elle aime tant.

— Tu as pris quelques rides, mon vieux…

Le sourire de Nathan s'efface pour laisser la place à un rictus. Céline hésite un instant et fait marche arrière : Mais, je te rassure, mon amour, elles te vont très bien.

Elle l'embrasse alors avec volupté, certainement pour se faire pardonner sa réflexion. Nathan entre un moment dans son jeu, les paupières closes, mais ses yeux ne tardent pas à se rouvrir, sombres, et son regard plonge dans le néant obscur du miroir ancien.

***

Torse nu, perplexe, Nathan observe avec inquiétude ses pattes d'oie dans le miroir de la salle de bains. Les paroles de Goldman, le médecin, ressurgissent comme un mauvais présage.

Vous connaissez la progéria ? Cette maladie génétique est extrêmement rare. Elle touche les enfants en bas âge et se caractérise par un vieillissement prématuré et accéléré.

Nathan se fige, inexpressif, absence totale. Les deux mains appuyées sur le lavabo, immobile devant la glace, enveloppé par le silence lugubre de la maison endormie. Transformé en statue de cire. Vision effrayante. Soudain, son bras droit se lève vers l'interrupteur, mécaniquement, machinalement, sans sourciller. L'extrémité d'un doigt effleure la touche sensitive – la lumière s'éteint.

***

Les yeux cernés, fébriles, Nathan écoute d'une oreille distraite sa jeune secrétaire. Le fauteuil à moitié tourné vers la baie vitrée, il mâchonne son stylo. Germain Kesler rentre demain d'Afghanistan. C'est ce que Bartel a cru entendre. Un accord a été trouvé entre partenaires pour la livraison du lithium d'ici la fin de l'année.

Malgré tous ses efforts, la mobilisation de toutes les ressources de sa volonté, Nathan ne parvient pas à s'extraire des images terrifiantes qui hantent son esprit. Il se sent comme possédé par une force intérieure qui n'aurait de cesse de le harceler.

Installé sur la plus haute marche, Homère, le chat noir d'Emma, tel le Sphinx, considère le nouvel arrivant d'un œil dédaigneux. Nathan se tourne vers le grand salon, à sa droite, où il distingue la silhouette rigide de sa mère, assise de dos sur un fauteuil en cuir marron élimé.

— Mère ?

Le parquet en bois vernis craque sous le poids de Nathan qui avance. Curieusement, Emma ne semble pas l'avoir entendu. Le bras tendu vers elle, il répète : C'est moi... Il s'approche toujours et, avant que sa main ne se pose sur l'épaule de sa mère, Nathan découvre soudain, sur le plancher, devant le siège, le corps de Diane. Ensanglanté. Un tisonnier maculé gît près de la femme inerte. Emma tourne son visage parcouru de spasmes vers son fils et, non sans mal, articule quelques mots : Il a encore fait une grosse bêtise.

Toujours aussi enthousiaste, Élisa continue son babil insouciant.

—...Kesler est fou de joie. Il pense d'ailleurs vous demander une grosse augmentation en rentrant...

La jeune secrétaire sourit mais réalise que son patron ne l'écoute pas. Elle ajoute alors, en utilisant l'une des mimiques dont elle use régulièrement : D'habitude, cela vous fait sauter au plafond ce genre de nouvelles, Monsieur !

Il réagit avec un temps de retard, tourne son fauteuil vers la secrétaire et fronce les sourcils.

— Qu'est-ce qui devrait me faire sauter au plafond, Élisa ?

— Euh… c'est-à-dire… Germain Kesler vous en parlera… dès son retour, répond Élisa, confuse, les joues empourprées.

Nathan opine. Il semble encore en orbite, à des kilomètres de la Terre. La jeune femme s'impatiente, elle enroule une mèche de cheveux autour de son doigt. Enfin, elle secoue la tête et se dirige vers la sortie en silence.

— Je suis navré, Élisa, s'exclame-t-il subitement. Ne m'en veuillez pas. Je ne suis pas moi-même en ce moment.

Élisa se retourne et adresse son sourire le plus ravageur à son patron tout en tirant sur sa jupe trop courte : Merci, j'avais remarqué, boss… Mais je vous pardonne.

Un clin d'œil et elle quitte les lieux en minaudant. Au-delà de son professionnalisme, c'est le côté enfantin de sa jeune secrétaire qui avait séduit Nathan à leur première rencontre – Élisa reste pour lui un rayon de soleil indispensable dans ce monde impitoyable.

12

Le soleil se découpe entre les feuilles mortes de l'arbre sur la propriété ancestrale des Bartel. Accroché à la plus haute branche, la silhouette d'un homme pendu se balance au gré du vent. Le frottement de la corde sur le bois a fait taire le chant des oiseaux. Devant l'entrée du manoir, penché sur le coffre ouvert de sa voiture, Nathan se retourne soudain, saisit d'un frisson. Le pendu a disparu. Les oiseaux se remettent à siffler. Nathan scrute les alentours. Une nouvelle fois, la sensation étrange d'être épié s'empare de lui. À tâtons, il attrape son sac de voyage et referme la malle.

Nathan se redresse, désorienté à la vue d'une silhouette dans l'entrée. Emma est appuyée sur sa canne, son visage reflète le bonheur. Nathan n'avait pas vu sa mère aussi rayonnante depuis si longtemps. Il avance vers la maison, mais s'arrête en bas des marches. Emma affiche à présent un air dominateur, véritable marque de famille. Nathan retrousse les lèvres, narquois.

— Je dormirai dans le salon, Mère, lance-t-il, sans appel.

Emma pâlit. Elle tente de cacher sa désapprobation derrière un sourire pincé.

— Tu ne veux pas plutôt profiter de ta chambre, mon petit ?

Il refuse d'un signe et tourne les yeux vers le champ. Déçue, Emma fait volte-face et rentre dans la maison. Nathan revient vers elle et la suit.

À l'aide de sa canne, Emma rejoint directement son fauteuil élévateur. Homère trône, comme à l'accoutumée, sur la plus haute marche de l'escalier. Emma qui tremble de tous ses membres peine à s'installer sur le siège. Nathan dépose son sac dans l'entrée, s'approche pour l'aider, mais elle l'écarte aussitôt de son bras libre.

— Je peux me débrouiller toute seule ! s'emporte-t-elle. Je n'ai besoin de personne. Elle presse un bouton et se met à monter. Et N'oublie surtout pas, conclut-elle, le visage fermé, sans le moindre regard vers son fils. Homère ne doit quitter la maison sous aucun prétexte. C'est compris ?

Nathan jette un œil sur sa majesté le chat et finit par acquiescer d'un signe de tête. C'est épidermique, il la déteste quand elle réagit de cette façon. Ce comportement tyrannique lui est proprement insupportable et il n'a alors plus qu'une envie : partir au plus vite.

Qu'est-ce qui l'en empêche vraiment, d'ailleurs ?

Le ciel se pique d'étoiles. Sur l'horizon pourpre, sang-de-bœuf, se découpe la silhouette de Nathan. Il avance d'un pas tranquille dans les herbes humides en direction de l'arbre mort. Il s'accroche à son téléphone.

— Qu'est-ce que tu leur as dit… ? Très bien. Je resterai jusqu'à la fin de la semaine. Andréa peut t'aider en soirée, si tu veux. OK… d'accord… Moi aussi. Bonne nuit ma chérie…

Nathan éteint son portable et le range dans sa poche de jeans. Il s'approche de l'arbre, effleure son tronc noirci du bout des doigts. Il renifle la cendre et grimace. Soudain, le rire lointain d'une femme le fait sursauter et se retourner. Il trébuche alors contre la barre à mine que Diane avait ramassée quelque temps auparavant. Il la prend entre ses mains et l'observe un instant. Il s'interroge sur la présence de cet outil dans le champ et surtout sur l'identité de celui qui l'avait laissée traîner ici.

Le rire encore. Nathan relève la tête vers le manoir. À l'étage, la lumière dans la chambre d'Emma s'éteint. Des chauves-souris énervées tournoient devant l'antique demeure – elles ont dû trouver refuge dans le grenier, où il n'a pas mis les pieds depuis tant années.

— Cette maison est maudite, cogite-t-il à voix-haute, plus persuadé encore de jour en jour.

Nathan ne cherche que la bonne occasion de s'en débarrasser. Mais il sait également que cette opportunité n'apparaîtra qu'au décès de sa mère. Et toujours cette même interrogation qui le tourmente : Pourquoi s'obstine-t-elle à vouloir rester seule dans cet endroit sinistre ? Cette question, qu'il s'est posée mille fois durant ces dix dernières années, confirme, s'il en est besoin, l'emprise qu'exerce sur son entourage cette petite femme à l'aspect si frêle.

De nouveau, ce rire lointain qui l'extrait de ses pensées. Nathan se tourne vers la maison de

Diane Lambert, à peine visible derrière les arbres balayés par la brise.

Sous la lueur vacillante d'une lampe en verre soufflé, assis sur le canapé du salon, Nathan se replonge dans les réflexions de Nathaniel. Tourmenté par les révélations de son frère jumeau disparu, il tente de comprendre ce qui s'est passé durant ces longues années où ils avaient choisi de vivre chacun loin de l'autre.

3h35. Le carnet jauni par terre, aux pieds du sofa. Nathan, endormi, se tourne et se retourne. Il balbutie des mots incompréhensibles. Des voix envahissent son esprit ; des plaintes, les rires d'une femme et ceux d'un enfant.

Perché au-dessus de la cuisinière électrique, le vieux coucou indique 7h25. Café en main, l'air fatigué, habillé à la va-vite, Nathan fait face à sa mère à la table de la cuisine. Par l'une des fenêtres, il voit l'arbre mort et la maison de Diane en partie cachée.

Emma dévisage son fils, le regard fier, sémillant. Les contrariétés de la veille ont été vite oubliées. Les yeux plongés dans son bol, il lève la tête et s'aperçoit qu'elle le fixe. Il affiche un vague sourire en avalant une gorgée de café.

Entre ses longs doigts arthritiques, elle fait tournoyer la chaîne en or et le crucifix. À l'instant où il se décide à l'interroger au sujet du bijou, une voiture arrive dans la propriété et s'arrête sous les fenêtres de la cuisine. Emma retrouve son air revêche en observant la femme massive qui descend de l'antique « Renault 4L » rouge à la peinture écaillée. L'aide à domicile, imposée par Nathan, sort des provisions du coffre.

Emma donne un coup de menton belliqueux en direction de l'étrangère : Je n'ai besoin de personne. Je n'ai jamais eu besoin de qui que ce soit.

Nathan comprend qu'une fois de plus il ne pourra la questionner au sujet du crucifix et opine en souriant. Il termine son café, s'excuse et quitte de table. Emma l'entend qui ouvre la porte d'entrée et elle se lève à l'aide de sa canne pour observer la cour. Elle voit Nathan rejoindre la femme imposante. Ils discutent un bon moment et Nathan s'en retourne vers sa voiture. L'employée de maison aperçoit Emma derrière la fenêtre et lui adresse aussitôt un petit geste de la main en affichant un large sourire. La vieille dame secoue la tête, plisse son menton et siffle entre ses dents.

— Je n'ai besoin de personne, tu m'entends bien ? De personne !

***

Une lava-lampe dispense une lumière tamisée dans le salon de Delphine. Au mur, une toile représentant Saturne et ses anneaux semble s'animer au gré de la lueur mauve. Sur le fauteuil, le chat s'étire de tout son long. Assis au comptoir, face à la jeune femme vêtue d'un simple déshabillé de satin rouge, Nathan ingurgite d'un trait son verre de vodka.

— Alors, tu as des nouvelles de Sophia ?

— Je me suis renseignée, mais rien de neuf. Ta petite chérie s'est évanouie dans la nature. Son appart a été récupéré par une Suédoise qui travaille au Paradise, Éva. Une vraie bombe, si ça t'intéresse.

Nathan secoue la tête, sans répondre. Il se sert un autre verre, inquiet, dérangé, frustré même d'ignorer pourquoi Sophia a pris le large sans le lui annoncer, sans lui envoyer ne serait-ce qu'un SMS.

— Non… Je connais Sophia depuis longtemps.

Delphine sourit, aussi surprise qu'amusée du lien qui unissait Tony à cette escort-girl.

— Elle est peut-être simplement retournée en Italie, ta Sophia. Je ne sais pas, moi !

— Elle ne serait jamais partie sans me prévenir. Je ne comprends pas pourquoi elle a fait ça… Il lui est peut-être arrivé quelque chose et…

— Je ne te savais pas si accroc.

Nathan sort un paquet de Craven et son briquet.

— Tu ne peux pas fumer ici, chéri.

Il redresse la tête vers Delphine, boit son verre cul sec et range les cigarettes. Il se lève promptement et tourne un instant en rond dans la pièce, observant le chat, croisant son regard inquiétant qui lui rappelle celui de sa mère ; n'importe quoi, pense-t-il avant de s'immobiliser.

— Tu aurais le téléphone de la Suédoise ? Cette Éva ?

— Non, mais je te l'ai dit. Elle bosse au Paradise Purple. Demande son 06 à Max.

En silence, tout à coup pressé, Nathan récupère sa veste sur le portemanteau, l'enfile et se dirige vers la porte.

— Tu ne restes pas un peu me tenir compagnie ?

Le sourire à peine courtois s'efface brusquement et Nathan secoue la tête avant de sortir de l'appartement. Delphine soulève son chat qui se met à ronronner entre ses bras et s'adresse à lui d'un air pince-sans-rire : Comment on passe à côté de 400 €, hein !

***

Installé devant la table ovale en verre bleuté, entouré de ses partenaires, Nathan semble baigné dans un cocon feutré tandis que Germain Kesler, toujours aussi enthousiaste et passionné, se lance dans un long discours.

Nathan revoit la chaîne et le crucifix entre les doigts décharnés de sa mère... Puis la chambre d'hôpital avec Nathaniel...

— *Cesser... toute cette abomination...*

Les mots résonnent, à plusieurs reprises, dans la tête de Nathan.

Nathaniel empoigne la main de son frère et la vie l'abandonne.

***

La lumière s'allume. Une odeur de soupe froide règne dans le grand hall du manoir. Homère traverse le champ de vision de Nathan qui jette un œil inquiet sur les deux salons. Le clair de lune sculpte des ombres lugubres sur le mobilier. Nathan frissonne. Il passe dans chaque pièce afin de fermer les volets sans faire trop de bruit.

Une feuille de calepin à moitié froissée traîne sur la table de la cuisine. Nathan reconnait l'écriture pointue de sa mère : « Cette femme doit disparaître de chez moi. » Sans y prêter grande attention, il jette le papier dans la poubelle avant de s'asseoir sur une chaise. Son regard se fige alors sur un cadre accroché au-dessus du buffet. Le portrait d'un bel homme dans la trentaine. Il lui ressemble… la photo couleur retouchée révèle un style de la fin des années soixante.

***

Dans le salon des Bartel, des volutes d'encens montent dans une ambiance tamisée. Au sol, les jambes croisées sur le tapis persan, Céline et Caroline écoutent de vieux classiques des Rolling Stones en sirotant quelques Martinis on-the-rocks.

— J'ai toujours eu un problème avec Emma, avoue Céline en secouant la tête. Dès les premiers jours, ça ne passait pas entre nous. Elle me dévisageait comme si j'étais celle qui avait détruit une partie de sa vie.

— Une vraie belle-mère quoi ! lâche Caroline en gloussant, déjà atteinte par les effets de l'alcool. Possessive à mort, la maman Bartel.

Céline finit par en rire et lève les bras au ciel : Enfin, bref. On ne choisit pas sa belle-mère.

— Tu m'étonnes ! La mienne avait plutôt l'air heureux de se débarrasser de son fils. Je la comprends, maintenant.

L'expression de Céline change soudain : Caro, écoute. Sa voix est plus grave, plus solennelle aussi. Il faut vraiment que vous trouviez une solution avec Fred.

— Je sais bien… soupira Caroline. Je sais bien. Depuis qu'il a été menacé de licenciement, ça ne s'est pas arrangé à la maison. C'est plutôt compliqué et…

— Il voit toujours cette femme ?

— Je ne sais pas. Et puis ça m'est égal. Je ne lui donne rien, il va le prendre ailleurs. C'est de bonne guerre. Je sais que je ne suis pas facile moi non plus, parfois… Elle s'interrompt un instant et poursuit, ironique : Je peux être une vraie garce, tu sais… Elle lève son verre et le termine cul sec. Je préfère ne pas en parler maintenant. Je suis bien. Je ne veux pas gâcher ce moment.

— Comme tu voudras… Mais, Nat et moi, on s'inquiète pour toi et les enfants depuis…

— Merci, Cel, la coupe Caroline. On en parlera plus tard, promis.

En silence, Céline prend alors Caroline dans ses bras, mais elle se dégage et s'allonge sur le tapis. Elle soupire en fixant le plafond de ses grands yeux bleus.

— Tout à l'heure, tu disais que Nathan allait rester chez sa mère ? Combien de temps ?

— Jusqu'à la fin de la semaine.

— C'est terrible, cette histoire… Cette pauvre femme, Diane Lambert. Caroline se penche sur le côté pour se resservir un verre. J'espère qu'on l'attrapera, ce salaud.

— Oui, vraiment… approuve Céline qui lève le Martini vide. Heureusement qu'on est voisine, sinon je ne t'aurais pas laissé rentrer chez toi dans cet état-là.

— C'est vrai que je ne tiens pas l'alcool… Elle n'était pas pleine, hein ?

Céline grimace, fait semblant de réfléchir : Je crois bien que si…

— Non ! Tu plaisantes ?

— Une demi-bouteille, c'est déjà pas mal, ma chère !

— Ah, bon ! Tu m'as fait peur. Elle s'interrompt, les yeux brillants. Mais je manque d'entraînement. J'en aurais besoin. Je suis prête à faire n'importe quoi, là !

— Ne dis pas de bêtises, Caro. Je vais vraiment finir par croire que c'est moi qui te pousse à boire.

— Et je t'en veux énormément… Caroline lui vole un baiser sur la bouche avant d'ajouter : Tu sais que je t'aime, toi ?

— Oui, moi aussi, mais je crois qu'on va s'arrêter là. Céline éclate de rire et indique le plafond en lui faisant signe de baisser le ton.

— Oh, non ! Pas déjà… lâche Caroline, telle une enfant insatisfaite.

Au clair de lune, Céline raccompagne Caroline chez elle. La maison à colombage des Cassel se trouve à quelques centaines de mètres. Elles titubent et pouffent en arrivant devant la grille de la propriété.

— Il n'est pas encore couché, murmure Caroline en désignant le jardin éclairé par la lumière de la terrasse.

— Tu vas lui parler ?

— Je ne crois pas que je sois en état… Elle remarque alors Fred qui gesticule avec sa batte de base-ball, seul, près d'un noyer, et poursuit sur le même ton : Lui non, plus d'ailleurs.

— Qu'est-ce qu'il fait ? se demande Céline.

— Il casse des noix… Devant le regard interrogateur de Céline, elle offre une explication : Méthode américaine, sans doute.

Elles se retiennent de rire. Caroline pousse la grille et d'une main salue sa compagne de beuverie qui tourne les talons et rentre chez elle. Caroline s'efforce de ne pas attirer l'attention de Fred en avançant vers la maison, mais elle marche sur une branche qui craque sous son pied. La femme s'immobilise. Fred la repère et la dévisage, lugubre. Il ramasse une noix tombée de l'arbre, la lance en l'air et la frappe de toutes ses forces à l'aide de la batte. Caroline frissonne – elle ne supporte pas ce genre d'attitude agressive. Elle accélère le pas et se réfugie dans sa chambre.

13

Nathan émerge du sommeil en sueur, vêtu d'un simple pantalon de jogging. Le jour filtre entre les lames disjointes des volets. Il se redresse de sa position inconfortable et s'assied sur le canapé. Sur le sol, à ses pieds, il remarque le carnet jauni qu'il n'ose ramasser. À l'étage, Emma marche dans sa chambre. Nathan l'entend qui se dirige vers le couloir. Il prend alors le mémoire criminel de son frère et le range en hâte dans sa veste qui traîne sur l'accoudoir. Il s'empare du portable posé sur la table basse, réfléchit un instant, et enfonce une touche. Son interlocutrice répond aussitôt.

— Je ne viendrai pas au bureau aujourd'hui, Élisa. Vous annulez tous mes rendez-vous… Demain ? Je ne sais pas encore. Je vous tiens au courant. Au plus vite.

Il raccroche. Il ne veut pas devoir se justifier.

Il se lève d'un bond et ouvre le volet. Il contemple le paysage par la fenêtre. Au loin résonnent le flot chantant de la rivière, les oiseaux invisibles et le rire d'Agnès. L'image de la jeune femme semble flotter en périphérie de sa vision, peut-être dans un coin de son cerveau. Il se frotte les yeux.

Il souffle sur son café chaud avant d'en boire une gorgée. Face à lui, Emma joue avec crucifix, le fait tourner entre ses doigts, comme une sorte de rituel qu'elle s'attacherait à accomplir depuis la disparition de Diane. Nathan est hypnotisé par les mains de sa mère.

Dans le silence pesant, le tic-tac de la pendule de la cuisine lui paraît assourdissant. La vision fugitive d'un pic-vert martelant le tronc du cerisier surgit tout à coup des tréfonds de son esprit. Le vieux coucou sonne sept fois et lui vrille les tympans. Il inspire.

— J'ai fait un rêve étrange, lance-t-il soudain.

Emma arrête de manipuler le crucifix. Elle dévisage son fils en prenant une gorgée de thé.

— J'ai rêvé d'Agnès, ajoute Nathan.

Emma fronce les sourcils : Qui est cette Agnès ? Elle semble sincère.

— J'avais huit ans, peut-être neuf. C'était la petite domestique. Vous ne vous souvenez pas d'elle, Mère ?

Emma s'accorde un long moment de réflexion. Elle détourne les yeux vers la fenêtre ouverte, puis revient vers son fils qui l'observe, inquisiteur.

— Peut-être… Vaguement… Je ne me rappelle pas toutes les bonniches qui sont passées ici.

— Vous devriez pourtant ! s'étonne Nathan. Agnès est morte dans le ruisseau.

Les traits d'Emma se crispent une fraction de seconde. Elle hoche la tête. Elle se remémore le tragique événement et répond d'une voix confuse. D'une voix qui sonne faux.

— Un accident, oui. Elle s'est noyée dans la rivière. Je me souviens, maintenant.

— C'est ce que disait le journal local à l'époque, mais…

— Elle ne savait pas nager, cette idiote !

Nathan s'interroge sur le ton agressif de sa mère, mais ne réplique pas et Emma poursuit : Ses parents nous avaient confirmé ce… problème, ajoute-t-elle, plus calme. Agnès avait l'habitude de se promener au bord de l'eau. Elle aurait glissé sur une pierre et se serait fendu le crâne. La pauvre… Ces choses-là arrivent tous les jours.

— Oui mère, approuve Nathan, un rictus ironique au coin des lèvres.

Emma avale une nouvelle gorgée de thé. Elle observe Nathan dont les yeux songeurs se posent à l'extérieur, vers la rivière. Elle tourne à nouveau le crucifix entre ses doigts.

— Comment se fait-il que cette histoire te revienne à l'esprit aujourd'hui, Nathan ?

Le ton autoritaire d'Emma attire le regard de son fils. Il voudrait en apprendre davantage, mais sent que l'éphémère instant a déjà disparu, que la fenêtre de tir s'est refermée et que sa mère a érigé une muraille infranchissable. Patience, il sait qu'il trouvera le bon moment. Plus tard.

— C'était juste un rêve… précise-t-il en évitant de croiser les yeux fureteurs d'Emma. Il reprend une tasse de café. Dites-moi, Mère, je n'avais jamais vu ce crucifix.

— Diane me l'a donné. Le soir du drame. Elle pensait que j'en aurais besoin. Pourquoi ? Je me le demande bien. Je n'ai jamais été très croyante, mais, après tout, pourquoi pas ?

Elle part d'un petit rire aigrelet et hausse les épaules. D'une main tremblante, elle soulève le bijou et l'examine, intriguée. La lumière qui s'y reflète éblouit Nathan.

— Vous n'en avez pas parlé au lieutenant ?

— Et pour quelle raison ? Ce n'est qu'une babiole, sans grande importance.

Nathan continue de boire son café en réfléchissant. Il pose la tasse et s'adresse à sa mère, toujours en évitant son regard fixe. Le sien papillonne de nouveau dans les champs, par la fenêtre.

— Diane ne vous aurait-elle pas également légué un vieux carnet, par hasard ?

— Un carnet… Non. Quel genre de carnet ?

— Je ne sais pas. Ce n'est pas très important.

Nathan ne veut pas en dire davantage et change rapidement de sujet.

— Quand avez-vous revu Nathaniel pour la dernière fois, Mère ?

Curieusement, c'est la première question qui lui est venue à l'esprit. Emma donne un coup de menton, l'air furieux.

— Qu'est-ce qui te prend ? Tu interroges ta mère, à présent ?

Nathan la fixe, mais garde le silence.

Emma paraît subitement s'effondrer sur elle-même et redevenir cette femme fragile qu'elle abhorre.

— Il y a longtemps. Bien, longtemps. Ces paroles amères lui échappent. Elle s'égare à l'évidence vers de lointains et douloureux souvenirs.

Nathan s'en veut. Il ne cherche pas à lui faire du mal, il souhaiterait tant connaître tous ces non-dits qui hantent leur relation. Ces non-dits, ces tabous familiaux, mais également tout ce qu'il avait occulté consciemment ou inconsciemment, tout ce qu'il avait refoulé afin de ne pas en souffrir. Mais en a-t-il le courage ?

Il sort de ses tourments et jette un œil à la pendule.

— Il faut que j'y aille. Il se lève. Pendant que j'y pense, vous devriez éviter de laisser une bougie allumée la nuit dans votre chambre, Mère. Cela pourrait être dangereux.

Elle reste impassible. Nathan sort de la cuisine. Emma entend bientôt la porte de la maison qui se referme et marmonne entre ses dents.

— Quelle bougie ?

Une larme coule sur sa joue.

***

Un léger voile de brume recouvre Rouen. La voiture de Nathan est garée sur un chemin de terre qui domine la vallée à l'écart de la route principale. Assis derrière le volant, il laisse le moteur tourner. Il ne va pas s'éterniser. Mais, les yeux écarquillés, il feuillette le carnet d'un geste vif, oublieux du temps qui s'écoule. Il lit et relit certains passages. Il s'interrompt subitement, revient en arrière. Il blêmit en se rappelant cet instant si particulier. Il remonte seulement à quelques mois.

De lourds rideaux pourpres masquent les fenêtres. L'éclairage tamisé rend le lieu à la fois si étrange et si kitch. Murs en brique, grand lit rond, canapé noir orné d'une statue de la liberté souriante et dorée. Des billets de banque tapissent le lit, entre les coussins noir et blanc en forme de dés. Longs cheveux bruns, très sensuelle, vêtue d'une robe moulante rouge de femme fatale des années cinquante, elle pose ses genoux sur le rebord du lit avant de la défaire d'un geste langoureux. Nue. Face à elle, dans l'ombre, un homme l'observe. Il s'avance en retirant sa chemise. Elle caresse son torse musclé, viril. Elle déboucle la ceinture, descend la braguette. Ses lèvres se rapprochent du membre raidi. Elle le prend à pleine bouche. Quelques minutes plus tard, il la retourne et la pénètre violemment... Derrière la tête de lit, le mur de briques s'effrite, comme si quelque chose voulait en sortir.

La vision d'un visage familier traverse son esprit. Un nom jaillit.

— Sophia.

14

Nathan longe le parc Saint-Exupéry par le Boulevard Gambetta quand il aperçoit le camping-car de la voyante. Il s'arrête aussitôt à sa hauteur, côté chauffeur. Une femme, la cinquantaine, maquillage outrancier et perruque blonde en forme de casque, écoute la radio, coincée derrière le volant. Nathan remarque qu'elle s'évente à l'aide d'un Voici.

— Bonjour... Excusez-moi de vous déranger. Vous pourriez peut-être m'aider. Je cherche Annabella.

La conductrice intriguée dresse un sourcil. Nathan poursuit : C'est l'une de vos consœurs. Une voyante. Ça vous dit quelque chose ?

— Annabella ? Sûrement pas ! Elle grimace et secoue la tête. C'est peut-être une nouvelle ? Mais vous savez, si vous voulez consulter, je suis là pour ça, mon beau prince !

Nathan décline poliment et redémarre, sans regarder, lorsqu'une prostituée traverse la route. Il écrase la pédale de frein et évite le choc au dernier moment.

— Oh ! Si tu veux me passer dessus, mon mignon, faut raquer !

Nathan reste sans voix. La catin lui adresse un doigt d'honneur, hausse les épaules et continue de l'invectiver en rejoignant une collègue sur le trottoir.

Au même moment, une vieille voiture cabossée s'arrête à hauteur de l'A8. Le chauffeur se penche et baisse la vitre côté passager.

Wodelski. Le lieutenant, narquois, fait signe à Nathan de se garer, avant de venir stationner devient lui. Il descend de sa Renault antédiluvienne et s'étire en bâillant.

Nathan réalise qu'il a laissé le carnet de son frère jumeau sur le siège. D'un geste vif, il s'en empare et le glisse dessous. Il redresse la tête. Le flic s'approche, l'allure apathique.

— Qu'est-ce qu'il fout là, lui ? se demande Bartel in petto.

Woldeski le salue en grattant brièvement sa barbe grisonnante : Monsieur Bartel ?

— Lieutenant ? Je ne pensais pas vous trouver ici.

— C'est exactement ce que je me disais à votre sujet. Le monde est petit, pas vrai… ? Vous, c'est plutôt voyante ou tapin ? Ne me dites pas que vous êtes inquiet pour votre avenir, hein ?

— Chacun ses faiblesses, lieutenant. Moi, c'est le côté mystique qui m'intéresse. Il n'y a rien de mal à cela, n'est-ce pas ?

— Rien de mal, non. La plupart du temps, ces messieurs les PDG préfèrent rendre visite à ces dames-là. D'un coup de menton, il indique les prostitués. Ce n'est pas votre cas, j'imagine, Monsieur Bartel. Vous êtes un type bien, vous ! Vous ne vivez pas dans le péché !

— Pour ne rien vous cacher, mon épouse me comble.

— J'en suis persuadé, s'esclaffe Wodelski avec un rire sinistre. Et j'en deviendrais presque jaloux. Vous êtes un homme riche, votre femme vous rend heureux et vos enfants vous aiment… Que demander de plus en ce bas monde ?

Nathan ignore s'il doit opiner ou secouer la tête d'un air gêné. Il sait le policier attentif à la moindre de ses réactions. Wodelski se redresse et prend un paquet de chewing-gums dans la poche de sa vieille veste noire à carreaux. Il en propose un à Nathan qui refuse.

— Mais je suis certain que vous avez des travers, Bartel. Du lourd, du bien sordide. Je trouverai le défaut de la cuirasse, ne vous inquiétez pas.

Nathan regarde le lieutenant droit dans les yeux. Le flic fouine, il part à la pêche aux infos, il cherche à en apprendre le plus possible. Mais peut-être sait-il quelque chose sur le passé sinistre de Nathaniel ? Ou peut-être n'est-ce qu'une déformation professionnelle, cette façon de titiller son interlocuteur, de le traiter comme un suspect, comme un coupable.

— Désolé, lieutenant. Je ne vois pas ce qui pourrait nourrir votre appétit de policier assoiffé de justice.

Wodelski soutient un instant le regard de Bartel, se détourne vers les prostitués qui arpentent le trottoir, puis le toise de nouveau ; dans ses yeux se lisent le fiel et l'amertume, la jalousie et l'ambition. La médiocre aspiration de se farcir un bourge, un PDG.

— Vous savez, dans ma vie j'en ai rencontré des hommes qui inspiraient le respect de leurs proches, de leur entourage. Mais en grattant un peu, on découvre des salopards, des violeurs d'enfants... Des bêtes sauvages, monsieur Bartel.

Nathan cherche à saisir où il veut en venir et comprend qu'il doit ravaler sa morgue, baisser d'un ton, bref caresser le flic dans le sens du poil.

— Je vois. J'ai beaucoup de respect pour votre métier, lieutenant. Ça ne doit pas être facile tous les jours.

— Je supporte de moins en moins ces pourris qui se cachent derrière leur « bonne image » et qui maltraitent des mômes... Ça, c'est terrible. Ça vous donne envie de meurtre, non ?

Nathan approuve d'un signe de tête et Wodelski se signe avant de poursuivre : La famille, c'est sacrée. C'est ce qu'il y a de plus beau au monde. Je ne comprends pas comment ces ordures font pour s'en prendre à des enfants.

— Ce sont des gens malades, lieutenant.

— Des malades... C'est ça... C'est ça...

Désabusé, l'œil chassieux, Wodelski salue Nathan d'un geste vague de la main et s'éloigne vers sa Renault. Perplexe, Bartel ne le quitte pas du regard. Wodelski crache son chewing-gum au pied d'une prostituée qui l'insulte. Il la dévisage et grimpe dans sa voiture.

Ce type est beaucoup plus dangereux qu'il n'y paraît, gamberge Nathan. C'est un malin ou un taré… Peut-être même les deux. Et il en a après moi, ce salopard. Pourquoi ?

Bartel démarre à son tour, observe le camping-car de la voyante dans son rétroviseur avant de lancer un dernier coup d'œil sur les gagneuses de l'avenue.

***

Dans l'appartement de Delphine, Nathan, assis sur le lit, torse nu, sirote un whisky. Depuis plus d'une heure, il explore de multiples hypothèses au sujet de ses relations passées avec son frère jumeau. Perchée sur un tabouret de bar, Delphine caresse le chat allongé sur ses genoux. Elle écoute patiemment les divagations de Toni. Aujourd'hui, elle n'est pas seulement sa confidente… plutôt sa psy.

— Je dois savoir pourquoi il en est arrivé là.

— Si tu crois qu'il a fait des choses si horribles, pourquoi tu as besoin de savoir ?

Surtout maintenant qu'il est mort, non ? Tu n'as pas à payer pour ses erreurs…

— C'est important pour moi.

— Et pourquoi c'est si important ?

Absorbé dans sa réflexion, Nathan lève la tête, une pointe d'angoisse dans le regard. Il remarque alors les yeux du chat et de sa maîtresse posés sur lui. Troublé par l'œil perçant du félin, il se redresse et se dirige vers la fenêtre. À l'extérieur, le jour commence à décliner. Bartel consulte sa montre.

— Quelque chose me manque… Je ressens comme un vide au fond de moi. Certainement parce que Nathaniel était une partie de moi-même… Mon frère jumeau, tu comprends ?

— Tu as peut-être raison. Moi, je suis fille unique. Je ne suis sans doute pas la mieux placée pour te comprendre.

Nathan quitte son poste à la fenêtre et va s'asseoir dans le fauteuil. Ses doigts tapotent l'accoudoir de cuir noir en rythme. Il repense au moment où il a trouvé le carnet jauni derrière le miroir de la chambre de sa mère. Il revit l'instant où il a découvert les premiers mots rédigés par Nathaniel.

— Ce carnet a tout déclenché… Pourquoi l'a-t-il écrit ? Pourquoi ?

— Une confession, dit-elle d'un haussement d'épaule. Il voulait que tu saches, que quelqu'un sache, un jour.

— Le jour de sa mort, à l'hôpital… Il a essayé de m'en parler, j'en suis certain… Et je ne voulais pas l'entendre, bon sang !

— Il y a toujours des choses que l'on ne veut pas entendre. Surtout quand on sent que ça va nous pourrir la vie. J'en sais quelque chose.

Nathan se souvient de la chambre aux longs rideaux rouges, de l'éclairage tamisé, du mur en brique, du grand lit rond, du canapé noir orné d'une statue de la liberté, des billets de banque éparpillés sur le lit. De cette femme brune, sculpturale, qui retirait sa robe rouge puis le déshabillait dans l'ombre, le caressait. Il se souvient du moment où il lui avait fait l'amour. Le mur en brique qui s'effrite, comme si quelque chose de vivant, piégé à l'intérieur, cherchait désespérément à en sortir.

Le regard de Nathan s'éclaire soudain et se braque sur Delphine. Il la fixe, à la fois paniqué et interrogateur.

— Ça va aller, Toni ?

— Tu m'as parlé d'une Éva. Celle qui a repris l'appartement de Sophia.

— Oui, et alors ?

— Tu as son téléphone ?

— Non. Je t'ai déjà dit de voir ça avec Max.

Sans un mot, Nathan se lève, se rhabille en hâte et sort.

L'A8 de Nathan Bartel se gare dans la rue des Faulx, près de la mairie de Rouen, au pied d'un immeuble bourgeois. Une camionnette de chantier est stationnée devant le bâtiment. Quatre ouvriers ont creusé une tranchée au milieu du trottoir opposé. Ils réparent une canalisation.

Derrière son volant, Nathan observe les ouvriers au travail tout en composant un numéro de téléphone sur son portable.

— Paradise Purple ! répond une voix masculine.

— Max ?

— Lui-même. Qui le demande ?

— C'est Toni…

— Bonjour, monsieur Toni ! Je peux faire quelque chose pour vous ?

— Tout à fait. J'aurais besoin des coordonnées de l'une des filles qui travaillent au bar. Elle s'appelle Éva…

— Éva la Suédoise ?

— Oui, Éva la Suédoise.

— Un instant, monsieur Toni. Je vois ça.

Nathan patiente. L'un des ouvriers défonce une partie du trottoir à coups de pioche sous l'œil expert de ses trois collègues. Bartel esquisse un sourire.

— Monsieur Toni ? Vous notez ? C'est le 07 85 54 69 33.

— Merci, Max. Nathan compose directement le numéro. Je compte évidemment sur votre discrétion.

— Vous me connaissez, Monsieur Toni.

Nathan raccroche et appelle.

— Bonjour. Je souhaiterais parler à Éva.

— C'est moi, Éva, répond une voix suave et sensuelle.

— L'un de mes amis, du Paradise Purple, m'a donné votre numéro.

— Quel ami ?

— Il préfère rester anonyme. Vous comprenez ? Pourrions-nous nous rencontrer d'ici une heure ?

Éva garde le silence quelques secondes, probablement le temps de trouver un stylo et de quoi noter.

— Vous êtes où ?

Nathan parcourt du regard les magasins dont les vitrines éclairent la rue. Il s'arrête sur l'enseigne de la boucherie Simon.

— En face du Paradise Purple. Au 275. L'interphone au nom de Simon.

— Dans une demi-heure, OK ?

— Bien. Je vous attends.

Nathan raccroche et range son téléphone dans sa veste. Il patiente… Quelques minutes plus tard, un taxi s'immobilise au milieu de la chaussée. Une grande blonde sexy, en robe noire courte et moulante, sort peu après de l'immeuble. Éva. Il ne pouvait pas ne pas l'avoir déjà remarquée au Paradise Purple. Elle monte dans le véhicule qui démarre aussitôt et disparaît au coin de la rue.

Sans perdre une seconde, Nathan descend de l'A8 et entre dans le bâtiment.

Il traverse une cour, les yeux rivés sur un ancien atelier reconverti en loft. Il s'assure que personne ne l'observe depuis les étages et, d'un coup de coude, il brise l'une des petites vitres de la porte. Il introduit sa main avec précaution, ouvre le verrou de l'intérieur, la retire et tourne la poignée.

Le loft n'a pas changé depuis sa dernière visite. Une fois par semaine, durant quatre ans, il y avait retrouvé Sophia. Sophia : un rite, une vraie confidente. Rien à voir avec Delphine.

Sophia avait une classe naturelle, une réelle éducation, une beauté extraordinaire, à la fois sorcière et fée, elle l'avait envoûté. Comment avait-elle fini escort ? Il n'avait jamais obtenu de réponse – Sophia ne s'étalait pas, n'exposait pas sa vie privée, ses malheurs et ses blessures. Plus d'une fois Nathan avait songé à quitter Céline pour Sophia. Il en avait même fait part à la prostituée, mais Sophia lui avait bien fait comprendre que le rôle qu'il voulait lui prêter ne serait jamais le sien. Elle avait remis Bartel, le grand patron, à sa place. Elle l'avait convaincu qu'elle resterait un joli fantasme et que la femme et les enfants de Nathan continueraient, eux, d'incarner une formidable réalité.

Il pénètre dans le loft entièrement éclairé par des bougies rouges. On se croirait dans un temple, songe-t-il un court instant, figé sur les flammèches oscillantes. La chaîne allumée diffuse de la musique indienne. Devant les fenêtres à petits carreaux, les longs rideaux pourpres occultent la lumière du jour. Des vêtements traînent Sur le canapé noir, un cendrier déborde de mégots de joints. Sur le comptoir, des verres et des tasses sales, deux bouteilles de Stolichnaya vides. Derrière le lit rond, le mur en briques attire l'attention de Nathan. Il s'avance et ne peut éviter de marcher sur des capotes usagées.

Il s'empare d'une bougie sur la table de chevet et approche la flamme. Il cherche un indice, une fissure, quelque chose… Puis il recule, estimant avec acuité chaque brique, chaque jointure du mur ; une telle obsession de sa part commence à l'inquiéter, alors qu'une idée le traverse soudain.

Il ressort, jusqu'au milieu de la cour, et examine le flanc droit de l'ancien atelier. Trop large. Trop profond. Ça ne correspond pas. La paroi, à l'intérieur, ne touche pas le mur extérieur. Il se précipite alors vers la rue, croise sous le porche un couple de personnes âgées qui dévisagent d'un air peu amène cet inconnu au comportement étrange. Mais elles rentrent chez elle et disparaissent par la porte principale.

Dehors, Nathan épie les ouvriers réunis devant la camionnette pour fumer une cigarette. Il repère une pioche à l'arrière du véhicule. Il faut agir, vite, sans attirer l'attention des employés de la ville…

Les flammes des bougies s'inclinent quand la porte du loft s'ouvre. Nathan la referme d'une main pressée, dans son autre main il tient la pioche empruntée discrètement aux ouvriers. Il pose l'outil et tire le rideau rouge, avant d'augmenter le volume de la musique. Pas de temps à perdre, se dit-il alors que sa respiration s'accélère, Éva peut revenir d'un moment à l'autre. Il prend une large inspiration, empoigne la pioche, la soulève et l'abat contre le mur de brique qui s'effrite à chaque choc en une multitude d'étincelles. À nouveau les flammèches des bougies les plus proches du mur vacillent sous les coups.

Nathan se revoit sur les hauteurs de Rouen, dans sa voiture. Il lit le carnet de Nathaniel, tourne les pages, livide. La voix de son frère résonne dans sa tête.

« Il fallait que je le débarrasse de cette immonde créature. Cette Sophia abusait de lui, comme les autres… Elle aussi paierait pour ce qu'elle faisait à mon frère… »

La paroi cède. Sous le coup des vibrations de plus en plus violentes, des bougies tombent par terre. Visage en sueur, haletant, Nathan frappe de toutes ses forces.

Un bras cireux jaillit soudain du mur, pailleté de poussière rouge. Nathan s'arrête, pétrifié, les yeux écarquillés, emplis d'horreur et de dégoût. Il voudrait ne pas y croire, et pourtant il en a la preuve devant lui. Son frère jumeau est bel et bien un assassin.

Nathan appose la pioche contre le pied du lit, tente de reprendre son souffle, coupe la musique, puis plonge un instant son regard atterré vers le trou noir, d'où une forte odeur de putréfaction se dégage. Il grimace, met le dos de sa main droite sous son nez, et réalise alors qu'il n'a plus de temps à perdre. De ses mains nues, il agrandit le trou. Un corps se révèle dans une poussière volatile, un corps couvert de sang séché. Des insectes, des vers s'en nourrissent déjà. Un corps souillé, blasphémé, celui de Sophia, roule et s'abat, disloqué, sur le parquet.

Nathan s'effondre sur les genoux. Il cherche à se persuader qu'il va bientôt se réveiller de ce cauchemar. Il avance sa main droite vers celle de Sophia, tendue vers lui…

Et Sophia la saisit…

Une sonnerie assourdissante. Nathan sursaute, ouvre les yeux et repère un réveil conçu pour ressembler au masque de Scream. La fumée a envahi le loft. Des flammes jaillissent tout autour de lui, menaçantes. Prostré sur le plancher, Nathan suffoque. Il faut sortir de cet enfer, malgré l'atmosphère toxique qui rend pénible le moindre mouvement. Il pense à ses enfants, à Céline – et trouve la force de se redresser. Entre les briques brisées, il distingue le cadavre de Sophia dévoré par un feu intense. Les rideaux s'embrasent. Les yeux rougis, gonflés, la gorge et la poitrine brûlante, il ne voit plus rien. Il se recroqueville, tâtonne, renverse tout sur son passage. À quatre pattes, il essaie de repérer la porte.

Il surgit du brasier en titubant et émerge dans la cour avant de s'écrouler par terre et de cracher ses poumons. Il ne s'aperçoit pas immédiatement que la nuit est tombée. Des plaintes, des cris jaillissent dans les étages.

— Au feu ! Il y a le feu, en bas ! Appelez les pompiers !

Les flammes attaquent le bas de la veste de Nathan. Il les étouffe rapidement.

— Eh, vous ! Penché à sa fenêtre, au premier, un vieil homme l'interpelle. Vous êtes qui, vous ? Qu'est-ce que vous faites là ? C'est vous qu'avez fait ça ?

Nathan lève la tête. Ses yeux piquent, une douleur insoutenable, comme si des aiguilles les transperçaient. Il voit toujours flou et distingue uniquement des silhouettes. En revanche, il entend parfaitement leurs cris, leurs hurlements de panique. Une panique qui doit à présent se répercuter dans tout le quartier. Il faut fuir.

Bartel trouve la force de se relever, malgré ses jambes tétanisées. En reculant vers le porche, il s'attarde quelques secondes encore sur le loft en flammes. Sans s'en rendre compte, il bouscule la concierge catastrophée et la fait tomber. Il l'ignore – il n'a pas d'autre choix – et, coupable, pivote en direction de la rue. Il accélère et sous les accusations du vieillard qui s'égosille, il s'échappe en courant, ouvre la porte et se rue à l'extérieur comme un fou.

Il s'engouffre dans sa voiture. Par chance, à cette heure-ci, le quartier est presque désert. Il démarre en trombe, érafle au passage un quatre-quatre.

Couvert de cendres et de poussière, Nathan cherche à s'essuyer au mieux à l'aide d'un mouchoir en papier. Il tousse à s'en arracher le poitrail et s'ingénie à maintenir le cap de l'A8. Il grille un premier feu rouge quand son portable se met à sonner. Il ralentit, jette un œil sur l'horloge de bord – 22h36 – puis sur l'écran du mobile. Céline. Sans réfléchir, il prend la ligne.

— Nat, c'est moi ! commence-t-elle, vaguement inquiète. Ça va ?

Il marque un temps. Il s'efforce de ne pas tousser, de respirer normalement. Mais pourquoi j'ai décroché ? se dit-il, les mâchoires crispées.

— Oui… Ça va…

— J'ai appelé chez ta mère, mais ça ne répondait pas.

— J'avais une réunion. On vient juste de finir, rétorque-t-il sans pouvoir retenir une quinte de toux.

— Oh, là ! Tu as attrapé froid !

— Un problème de clim. Un vrai frigo, cette salle.

— Prends soin de toi ! Les enfants sont couchés. Tu leur parleras demain, d'accord.

— Oui. À demain.

— Je t'aime…

Nathan acquiesce, comme si Céline le voyait. Il raccroche. Un camion de pompiers, gyrophares étincelants et sirène hurlante, croise sa route au même moment. Toutes les voitures devant la sienne s'arrêtent. Il suit le trajet du véhicule de secours dans son rétroviseur.

15

Au rez-de-chaussée du manoir, dans la salle de bains sombre dont la faïence ancienne se pare de tons gris rosés, Nathan s'éternise sous la douche froide. Une eau grisâtre, elle aussi, s'évacue par tous les pores de sa peau. Appuyé contre le carrelage, les pupilles dilatées, il se repasse les derniers évènements en boucle. Ne pas craquer, surtout ne pas craquer. La Sophia qu'il aimait secrètement n'est plus et il doit se faire une raison. Qu'est-ce qui a pu pousser Nathaniel à la tuer juste avant de mourir – la jalousie ? Un rituel satanique ? Un coup de folie ? Mais aujourd'hui, c'est fini. Nathaniel est mort et son crime restera à jamais impuni.

Dans son carnet, Nathaniel semblait vouloir révéler d'autres meurtres. Mais de qui pouvait-il bien s'agir ? À sa connaissance, personne autour de lui n'avait disparu, si on oubliait Diane Lambert. Mais elle avait été massacrée après le décès de Nathaniel. Ce qui le disculpait, à moins de croire les délires d'Emma, les délires d'une femme, d'une mère qui refusait la perte d'un enfant, fut-il un assassin.

Allongé sur le canapé du petit salon, vêtu d'un peignoir, Nathan relit le carnet de Nathaniel. Il cherche à entrer dans la tête de son frère, à comprendre la relation que celui-ci entretenait avec sa mère qui, manifestement, semblait au fait de ses crimes. Peut-être Emma n'était-elle que méfiante, suspicieuse. Paranoïaque ? Nathaniel était-il conscient qu'elle avait des soupçons ? Avait-elle découvert sa véritable personnalité ?

Les questions s'entrechoquent, mais il réalise qu'elles n'ont plus grande importance. Le mal est fait. Et le responsable a probablement été terrassé par sa propre culpabilité.

Nathan se dit qu'il doit tourner la page. Il ne veut pas en savoir davantage. Il lui faut protéger sa famille, sa carrière. Il a des devoirs, des obligations. Rien de ce qu'a pu faire son frère ne doit interférer. Il faut effacer le passé. Ce passé qui ne lui appartient pas.

Alors, il referme le carnet.

Pensif, Nathan se fixe dans le vide, au moment où une lumière, à l'extérieur du manoir, se reflète dans son regard.

Il sort de son état, s'interroge, et s'approche de la fenêtre. Un véhicule se gare juste à côté de sa voiture – les phares s'éteignent. Dans la nuit noire, une ombre descend du quatre-quatre. Déconcerté, Nathan sort du petit salon et s'avance vers l'entrée. Il écoute le bruit des pas sur le gravier de l'allée. L'étranger ne se presse pas. Il s'arrête tout à coup et un silence inquiétant s'abat sur le manoir. La lente marche reprend. Jusqu'à la porte. Nathan y colle son oreille et ne distingue rien d'autre qu'un calme insoutenable. Deux coups résonnent, qui le font sursauter. Nathan recule, pose la main droite sur la poignée et ouvre à la volée. Caroline. Caroline, vêtue d'une robe noire légère au décolleté vertigineux qui laisse plus qu'entrevoir ses formes généreuses. Caroline, les yeux brillants et le rose aux pommettes. Des indicateurs fiables de son taux d'alcoolémie pour Nathan qui la connaît si bien.

— Hello, boy !

— Qu'est-ce que tu fais ici ? lui demande-t-il à voix basse.

— J'ai vu de la lumière, sourit-elle, et… Elle se reprend soudain : Désolée, je n'ai pas réveillé ta mère au moins ? Nathan secoue la tête et Caroline poursuit en minaudant : Tu vas me laisser mourir de froid dehors ?

Confus, sans voix, il lui fait signe d'entrer et referme la porte derrière elle. Il l'escorte vers le petit salon et lui propose un thé.

Pendant une bonne heure, attentif, les mains jointes devant la bouche, les genoux croisés, puis décroisés, il écoute Caroline.

— Je ne sais pas pourquoi je reste avec lui... D'un autre côté, ce n'était qu'une engueulade de plus... Avec les enfants, tu sais, c'est difficile... Je ne travaille pas, contrairement à Céline. Même si elle m'a déjà proposé de me trouver quelque chose dans sa boîte. Je ne sais pas... Je ne sais plus... Elle soupire et une larme perle au coin de son œil. Qu'est-ce que je vais devenir ? Quand je vous vois, toi et Céline, vous semblez si heureux.

— Tu sais, Caro. Il y a toujours des hauts et des bas. Dans chaque famille et...

— Pourquoi dis-tu ça ? Ça ne va pas avec Céline ?

Nathan flaire le piège. Il se sait sensible aux charmes plantureux de Caroline et, depuis le temps, elle doit s'en être rendu compte. Mais il ne souhaite pas profiter de sa faiblesse, alors il se lève et débarrasse la tasse vide de Caroline sur un plateau.

— Pas du tout. Tout va très bien… Il s'interrompt. Je suis certain que les choses vont s'arranger, que vous allez trouver une solution, ensemble.

— Tu crois ? Vraiment ? Je suis tellement démoralisée et…

— Tu en as parlé à Cel, j'imagine. Elle est mieux placée que moi pour t'aider.

Caroline se lève à son tour et s'approche de Nathan, dangereusement. Elle le dévisage de ses grands yeux bleus humides.

— Je sais, mais… je l'ai assez ennuyée avec mes histoires…

Le cœur de Nathan s'accélère. Il aurait voulu fuir, mais il est en parfaitement incapable. Caroline l'attire comme un aimant. Son parfum, les traits fins de son visage, sa peau d'une clarté, d'une douceur exceptionnelle, sa sensualité extrême – impossible de lui échapper ! Il le sait depuis longtemps, mais il ne s'est jamais retrouvé face à elle dans de telles circonstances. Caroline attrape la ceinture du peignoir de Nathan mécaniquement, sans baisser les yeux, mais, soudain, elle comprend son geste et s'écarte dans un souffle.

— Je... Je vais rentrer, Nat... Elle recule d'un pas.

— Je ne sais pas si tu es en état... Tu ne veux pas dormir ici ? Il y a une chambre prête.

— Non, je ne préfère pas... Je suis désolée, répond-elle en tournant les talons. Merci pour le thé, Nat.

Nathan, préoccupé, l'escorte jusqu'à la porte d'entrée. Il s'en veut de la laisser partir seule. Et puis, il se retrouve tiraillé entre deux sentiments, son côté gentleman et son instinct primaire de mâle.

— Je vais te raccompagner. C'est la moindre des choses.

— Non, vraiment, ça va mieux. Je peux rentrer. C'est gentil de ta part. Ne t'en fais pas...

Un souffle d'air chaud balaie la campagne. Caroline avance vers sa voiture, suivie par Nathan. À mi-chemin, il remarque qu'elle titube.

— Tu es sûre que ça va aller ? s'inquiète-t-il. Attends, j'appelle un taxi...

Caroline se retourne soudain vers lui et lui plaque un baiser sur la bouche. Il en reste muet.

— Merci, mais non… Je suis désolée pour tout ça, Nat…

Confus, Nathan demeure figé, silencieux, tel un gamin timide qui ne saurait comment réagir. Elle grimpe dans sa voiture et met le contact, les yeux toujours rivés sur Nathan. Elle esquisse alors un sourire à la fois embarrassé et complice, et le mouvement de sa main passant sur sa nuque dénudée révèle davantage sa poitrine lourde.

Le visage de Nathan s'assombrit soudain. D'un geste rapide, il ouvre la portière et agrippe Caroline. Il l'embrasse, elle le repousse, puis cède, se laisse aller et enlace Nathan qui la fait basculer sur le siège.

**

Des gouttes de sueur s'écrasent sur le plancher. Affalé sur un petit bureau, à moitié nu, couvert de boue, Nathan se réveille. Il ouvre les yeux sur le carnet de Nathaniel et sur la page, une seule phrase se répète comme une litanie insane :

« Pourquoi te fait-il du mal ? Pourquoi te fait-il du mal ? Pourquoi te fait-il du mal ? »

Ses yeux exorbités se fixent sur le stylo qu'il tient à la main. Une brusque rafale le fait se tourner vers la fenêtre ouverte – la lumière du jour envahit peu à peu la pièce. Les pages du carnet bruissent dans le courant d'air et révèlent des dizaines de feuillets remplis de la même phrase hallucinée. Il frissonne, lâche le stylo et se lève pour aller refermer la fenêtre.

En jetant un œil dehors, à travers la fine brume de chaleur, Nathan, interdit, remarque la voiture de Caroline toujours garée à côté de la sienne, la portière, côté passager, béante. Il s'habille en vitesse.

Nathan avance d'un pas qu'il voudrait plus assuré vers le quatre-quatre de Caroline. Il hésite. Un pied après l'autre. Il approche lentement, avec précaution. Sur le siège, il aperçoit une silhouette prostrée. Le corps d'une femme. Le corps de Caroline nue. Et jeté sur son visage, un peignoir blanc. Le peignoir de Nathan. Son propre peignoir.

Bartel a l'impression que son cœur va exploser. Il tend ses mains tremblantes vers la robe de chambre et la soulève.

Tout l'accuse.

Épouvanté, il recule, scrute les alentours, examine les bois, la maison de Diane, le chemin qui mène au manoir et le vieil arbre au double tronc calciné. Il remarque qu'à l'étage, la chambre de sa mère est allumée. Et soudain, il comprend qu'elle est là. Debout, immobile, appuyée sur sa canne, juste devant la fenêtre, dissimulée par un voile à demi tiré – a-t-elle été témoin du drame ? Dans le silence effrayant qui s'est abattu sur le domaine, il entend tout à coup un bref craquement. Une branche sèche dans le petit bois à l'extérieur de la propriété. Il détourne la tête, croit voir une silhouette se faufiler entre les arbres.

— Qui est là ?

Rien. Aucune réponse. Pas un bruit, pas le moindre mouvement. À l'étage, sa mère a disparu, la lumière s'est éteinte.

Nathan ouvre la porte grinçante du cellier. Il allume l'interrupteur et descend avec prudence le vieil escalier en bois craquant. Une ampoule suspendue à un fil électrique se balance nue, parmi les toiles d'araignées, et éclaire faiblement la cave lugubre. Dans les ombres changeantes d'obscurs recoins, gisent babioles et jouets, souvenirs entassés à même le sol en terre. Un gros rat se glisse sous un antique meuble poussiéreux. Nathan bute contre des parpaings posés au beau milieu de la pièce et retient un gémissement. Il continue d'avancer et se poste devant de vieilles étagères en bois qu'il se met à fouiller. Il découvre des bâches de plastique enroulées, mais s'interrompt lorsqu'il perçoit un bruit de pas et le claquement d'une canne. Pourvu qu'elle ne descende pas maintenant. Mais bientôt, il entend le grincement mécanique du siège de la rampe d'escalier.

Sans plus attendre, il se presse de récupérer les rouleaux et remonte en hâte. La poussière qu'il a remuée retombe et il ne peut se retenir d'éternuer. Le siège électrique s'arrête net. La lumière du couloir du rez-de-chaussée s'allume. La canne d'Emma résonne contre le carrelage. Elle approche.

Nathan dévisse l'ampoule nue et se retrouve dans le noir, immobile, les yeux rivés sur la porte entrouverte. La silhouette de sa mère se fige en haut des marches de la cave. Homère, le chat, apparaît alors et vient se frotter contre ses jambes maigres et raides comme des bâtons. Elle le repousse en grommelant.

— Je sais que tu es là. Je le sais… marmonne-t-elle d'une voix tourmentée.

Comment sortir de cette situation ? Mais surtout, qu'avait-elle vu depuis la fenêtre de sa chambre ? Avait-elle été témoin du meurtre de Caroline ? Il ne sait comment en parler. Il panique.

— Que faites-vous ici, Mère ?

— Je sais qu'il est revenu, Nat ! Ne me prends pas pour une imbécile. Je sais les choses horribles qu'il fait.

— Qui est revenu ? l'interroge Nathan dans l'obscurité.

— Ton frère. Il est revenu pour nous faire du mal.

Elle délire. Elle n'a plus toute sa tête. Faut-il rentrer dans son jeu ou tenter de la raisonner ?

Nathan entreprend de monter les marches, cherche à paraître le plus calme possible, sans quitter sa mère des yeux. En arrivant au rez-de-chaussée, il lit la peur sur ses traits. Les yeux humides enfoncés dans son visage blême, elle tremble de tous ses membres. Il faut la rassurer… Il doit la rassurer.

— Il ne nous fera plus de mal, Mère. Je vais m'en occuper. Ne vous inquiétez surtout pas.

Emma secoue la tête d'un air accablé. Elle s'efforce de prononcer quelques mots, en vain, fait demi-tour et se dirige vers le grand salon.

Nathan attend qu'elle disparaisse pour rallier la cuisine. Discrètement, il fouille dans les tiroirs du buffet et trouve du ruban adhésif, sous le regard inquisiteur d'Homère, immobile sous la table. Dans un meuble du hall, il déniche une paire de gants en cuir. Avant de ressortir, il passe la tête par la porte – sa mère se balance doucement, assise dans son fauteuil, le fauteuil où Nathan l'a découverte le jour de la mort de Diane Lambert. Il repousse du pied le chat qui veut le suivre dehors.

Non sans difficulté, Nathan dégage Caroline du siège conducteur. Il la dépose sur les bâches étendues sur le sol. Bouleversé, les larmes aux yeux, il s'empresse de dissimuler le cadavre de la jeune femme. Le souffle coupé, il enroule le ruban. Il s'arrête, observe le corps, comme momifié, puis l'esprit plus clair, se tourne vers la maison.

Dans la cave, il trouve trois parpaings et une vieille corde.

D'abord, il fait glisser Caroline dans la malle arrière du quatre-quatre, puis il y arrime les parpaings à l'aide de la corde et de l'adhésif. Il essuie la sueur de son front d'un revers de manche et après un dernier coup d'œil, claque le coffre.

Avant de s'asseoir derrière le volant, il contemple ses mains pleines de terre et de transpiration. Il les frotte contre son jean et démarre.

Au moment où la voiture franchit le portail, la silhouette immobile d'Emma se découpe dans l'entrée du manoir. Elle observe l'arbre centenaire calciné et balbutie quelques mots obscurs. Une lueur de satisfaction illumine alors son regard halluciné.

Les mains de Nathan tremblent. D'un geste vif, exacerbé, il s'empare du paquet qui traîne sur le tableau de bord et bataille afin d'en extraire une cigarette. Il l'allume, redresse le volant de justesse, évitant une sortie de route. Il faut qu'il se calme. Machinalement, il range les Marlboro dans sa poche, direction le lac.

— Est-ce qu'il est assez profond ? s'interroge-t-il à haute voix haute, en observant le rétroviseur, comme s'il attendait une réponse. Les questions se bousculent dans sa tête, les regrets. Si jamais on la retrouve... J'aurais dû brûler le corps ou le... Comment peux-tu parler comme ça ? Raisonne ! Allez, bon sang ! Qu'est-ce qui s'est passé cette nuit ? Pourquoi tu ne te souviens de rien ? Tu n'as pas pu faire ça... Tu n'es pas comme ton frère, un... (Il se mordille les lèvres, comme dégoûté.) Alors qui ? Fred ? Non... Pas Fred. Tu lui en voulais à ta Caroline, mais tu n'aurais jamais fait une chose pareille... (Il secoue la tête) Pas Fred, ce n'est pas lui...

Il s'interrompt soudain. Une peur panique traverse son regard.

— Nat ? Tu es bien mort, Nat, hein ! C'était bien toi à la clinique ? Ne me dis pas que tu as tué Caroline ! Putain ! Qu'est-ce que je raconte, moi ? Je délire ! Tu deviens cinglé ou quoi ?

16

Nathan croit un moment qu'il s'est égaré sur les routes brumeuses de la campagne normande. Il ne reconnaît pas les lieux et le GPS semble aussi paumé que lui. Impossible de se repérer dans cette purée de pois. Il freine brusquement et voit, sur sa gauche, un panneau indiquant la direction du lac. La voiture dérape sur les gravillons au redémarrage, et manque une nouvelle fois de finir dans le fossé.

Après s'être garée au bord de l'eau, Nathan baisse la vitre. Les phares percent l'épaisse brume qui stagne au-dessus des flots dans un silence absolu. Le souvenir d'un beau jour d'été, quelques années plus tôt, lui revient en tête. Un pique-nique avec Céline et les gamins – Fred et Caro étaient arrivés en retard ce jour-là. Caro était enceinte de huit mois.

D'une main empressée, Nathan tire la poignée de la portière et descend de la voiture. Il va ouvrir le coffre tout en continuant de surveiller les alentours. Son attention se pose alors sur l'enveloppe sombre et plastifié contenant le cadavre de Caroline. Il manque d'air, prend une grande inspiration... Extraire le corps du réceptacle lui semble déjà un vrai parcours du combattant, le traîner ensuite vers le plan d'eau lui font céder ses dernières défenses – il se met à pleurer comme un enfant. Au loin, résonne un bruit de moteur – il se retourne, le regard fiévreux – des phares transpercent la brume. Son cœur s'accélère. Il se sent soudain piégé. Il est épuisé, à quelques mètres du lac, il essaie d'avancer, jette toutes ses forces dans la lutte, mais sait que le temps lui manquera. Les antibrouillards d'une Volkswagen éclairent le quatre-quatre. Nathan se plaque au sol, immobile, tout près du cadavre, à peine dissimulé par un banc peint en rouge. À travers le plastique, Nathan devine le visage de Caroline.

La voiture s'arrête à quelques mètres, phares et moteur allumés. Nathan reste figé, le regard rivé sur le véhicule. Pas un mouvement. Personne ne bouge, personne ne descend. Qu'est-ce qu'ils foutent, ces cons ? Soudain, la Volkswagen recule et fait demi-tour. Elle disparaît dans la brume, aussi vite qu'elle était arrivée.

Nathan se pose mille questions. Est-ce qu'on l'a vu, dissimulé derrière ce banc ? Le conducteur est-il déjà en train de prévenir la police ? Nathan essaie de se persuader qu'il s'agit seulement d'un couple à la recherche d'un coin tranquille – le lac est plutôt connu pour ce genre de rendez-vous…

Le calme revenu, Nathan s'assied un instant afin de se remettre de ses émotions, mais il jette un œil sur le corps de Caroline et se lève. Avec le peu de force qui lui reste, il pousse le cadavre lesté dans l'eau. Inquiet, Nathan l'observe… Il flotte, s'éloigne et s'enfonce tout à coup vers l'abîme. Malgré les larmes, malgré la douleur, il paraît presque soulagé.

Après avoir repris la route en direction du manoir, il se demande à présent que faire de la voiture de Caroline. Il doit improviser. Pourtant tant de questions le taraudent. Il joue à l'assassin, mais comment peut-il agir de la sorte ? Pourquoi n'a-t-il pas prévenu la police ? Pourquoi ?

Parce que toute cette histoire laisse à penser que tu as tué cette pauvre Caroline ? Même toi, tu es incapable de savoir ce qu'il s'est réellement passé cette nuit !

Mais jamais tu n'aurais pu faire une chose aussi abominable !

Il cherche à se convaincre, mais dans son esprit tout se confond, se mêle. Il repère un chemin dans un petit bois, écrase la pédale de frein. Sans prendre le temps de respirer, il fait marche arrière, emprunte la piste de terre et s'enfonce au milieu des bosquets. Le quatre-quatre stoppé, il fouille dans la boîte à gants, puis sous les sièges, où il trouve un chiffon. Il essuie d'éventuelles empreintes à l'intérieur du véhicule, même chose à l'extérieur, s'appliquant à nettoyer tous les endroits qu'il se rappelait avoir touchés.

Nathan roule ensuite le tissu, en fait une mèche, et l'introduit dans le réservoir d'essence avant d'y mettre le feu et de s'éloigner rapidement vers la route. Le quatre-quatre s'embrase.

Des rayons de soleil chahutent le manteau brumeux. Nathan écrase une énième cigarette, les yeux rougeoyants, cernés. Il longe la départementale où la circulation se fait plus dense. Perdu dans de sombres pensées qu'il n'arrive pas à chasser, il avale les kilomètres sans s'en rendre compte, mécanique imperturbable. Soudain de l'autre côté, en sens inverse, le quatre-quatre surgit. Le visage blafard et inexpressif de Caroline se tourne vers lui.

Nathan reste figé, deux secondes, puis il se met à courir, zigzague entre les véhicules qui le dépassent en klaxonnant, il tente de la rattraper. Une camionnette manque de peu de l'écraser. Des voitures l'évitent. Une moto le frôle. Mais Caroline disparaît au loin.

À bout de souffle, Nathan plonge dans un fossé pour éviter un camion. Il se recroqueville, enfouit sa face blême entre ses mains alors que des voix murmurent autour de lui, des voix qu'il ne comprend pas, des voix pourtant familières, mais qui surgissent d'un passé trouble.

— Tu deviens fou ! Fou ! Arrête !

Un grand vide s'organise dans sa tête, plus un son n'y pénètre, le temps semble s'être arrêté… quand la sonnerie de son téléphone portable résonne. Il frémit, puise dans ses dernières forces, et saisit son mobile. Sur l'écran apparaît le nom de Germain Kesler.

— Oui, Germain?

— Bonjour Nathan. Tu es en route ?

Bartel avait oublié son rendez-vous. Il cherche une réponse, la plus plausible.

— Écoute… J'ai… J'ai eu un problème…
avec ma voiture. Je serai un peu en retard et…

— Un accident ? Rien de grave ?

— Non rien… On… On reporte en début
d'après-midi, tu veux bien ?

— Pas de problème. Comme tu veux. Tu es
sûr que ça va ? Je te sens un peu stressé, là !

— Ça va… Ça va… Excuse-moi, j'ai un
appel… À tout à l'heure.

Nathan raccroche, le visage ravagé.

***

Dans la cuisine du manoir, vêtu d'un
costume sombre impeccable, Nathan avale deux
Xanax avec une gorgée de café. Debout devant la
fenêtre, il regarde fixement l'endroit où se
trouvait la voiture de Caroline quelques heures
auparavant. Il allume une nouvelle cigarette avec
un léger tremblement, tire quelques bouffées, puis
l'écrase dans l'évier. Il réalise soudain qu'il s'agit
des Marlboro, le paquet de Caroline – une brève
vision de la jeune femme le dévisageant d'un air
accusateur – et le jette dans la poubelle.

Nathan sort de la cuisine et s'avance jusqu'à la porte ouverte du grand salon. Emma, assise dans son fauteuil, égrène la chaîne en or de son crucifix. Il imagine l'expression de sa mère, son regard perdu dans le vide, un vague sourire nostalgique au coin des lèvres.

Nathan marche seul au fond d'un parking souterrain quand son téléphone sonne. Il hésite un instant puis rejette l'appel de Céline.

Soudain une voix à peine audible, la voix de Caroline, le fait sursauter.

— Nat… Nat…

Il s'arrête brusquement, balaie les alentours du regard, sonde les recoins les plus obscurs et reprend le chemin des ascenseurs, impassible, comme si de rien n'était.

Dans la cabine, Nathan continue d'arborer un masque d'insensibilité. Son portable se met une nouvelle fois à vibrer. Fred Cassel. Et une nouvelle fois, d'une pression rapide, Nathan coupe la communication. La silhouette d'une femme attire son attention. Pendant une fraction de seconde, il croit voir Caroline. Ses yeux hallucinés se fixent à nouveau sur la porte de l'ascenseur qui s'ouvre.

Germain Kesler, rayonnant, marche aux côtés de son patron qui fait mine de l'écouter. Nathan passe son temps à vérifier, aussi discrètement que possible, l'écran de son portable. Il vient de recevoir un SMS de Fred : « Appelle-moi au plus vite ! »

— … Ce qui nous permettra d'avoir toutes les garanties sur au moins dix ans ! s'exclame Kesler. Nos clients qataris n'ont pas fait la fine bouche. Pour eux, c'est une avancée énorme. Et je vais te dire, ils préfèrent travailler avec nous plutôt qu'avec les Américains. Même les Chinois se sont cassé les dents ! Tu le crois, ça ?

Germain Kesler, aussi ambitieux que clairvoyant, finit tout de même par réaliser que Bartel, absent, s'est retranché derrière sa carapace, impénétrable à ce genre d'intrusions.

— Dis-moi… Ça va aller, Nathan ?

— Oui, très bien… répond Nathan froidement, machinalement. Ça me convient très bien… Beau travail, Germain, ajoute-t-il avec un temps de retard.

Germain Kesler acquiesce, surpris, conscient de la fausseté du ton de Bartel. Il jette un coup d'œil à sa montre, l'air étonné.

— Je vais te laisser… J'ai un rendez-vous avec nos futurs collaborateurs, maintenant.

Sans plus de réaction, Nathan continue d'avancer tandis que Germain Kesler disparaît dans son bureau.

Nathan essuie la sueur sur son front et sort son portable pour écouter le message de Fred : « Salut Nat, c'est Fred ! Je voulais savoir si tu avais eu Caroline au téléphone par hasard, depuis hier soir ? On s'est un peu engueulé et elle n'est pas rentrée de la nuit. Il est quasiment midi et je n'ai toujours pas de news… Les enfants sont inquiets, et moi aussi, d'ailleurs. Je l'adore ma p'tite Caro, mais j'ai déconné. Comme d'hab, hein ! J'ai eu Céline au téléphone et comme elle ne l'avait pas jointe, j'ai pensé que tu aurais pu savoir quelque chose… Allez, salut ! Tiens-moi au jus ! Je compte sur toi, hein ! »

Son cœur s'accélère, sa gorge se noue. Il éteint son mobile et le range. La mâchoire serrée, Nathan entre d'un pas pressé dans son bureau.

Il s'assied sur son fauteuil, respire profondément afin de retrouver son calme. Son visage enfouit entre ses deux mains, il cherche à s'isoler du reste du monde. Mais très vite, il se lève et pivote vers la baie vitrée. Pensif, il se caresse le menton, se retourne et s'empare d'un bloc-notes et d'un stylo. Il écrit trois noms : Diane, Sophia, Caroline, puis presse la touche de l'interphone.

— Élisa !

— Oui, Monsieur !

— Pouvez-vous venir un instant, s'il vous plaît ?

— Tout de suite, Monsieur… Faut-il que je prenne de quoi noter ?

— Ce ne sera pas nécessaire. Je veux juste… vous parler.

— Bien, Monsieur.

D'un geste élégant, Nathan réajuste sa cravate et sa veste de costume, se recoiffe, et croise les mains sur son bureau. La porte s'ouvre. Tout sourire, et juste un peu surprise, Élisa entre et referme derrière elle. La jeune secrétaire s'avance et Bartel lui fait signe de s'asseoir.

— Ce ne sera pas très long, Élisa… ! J'aurais aimé avoir quelques précisions au sujet de la fin de la réunion de la semaine dernière… (Il entoure au stylo le nom de Diane.) J'aurais voulu savoir si j'avais quitté le bureau cet après-midi-là et, si oui, combien de temps ?

La question est plutôt insolite, Élisa se renseigne auprès de son patron : Vous ne vous souvenez vraiment pas, Monsieur ?

— Je vous ai posé une question simple, Élisa, réplique Nathan sèchement afin de maintenir une certaine distance avec sa secrétaire.

Élisa baisse les yeux, cherche une réponse sur le sol marbré. Elle redresse la tête et, comme si de rien n'était, fait soudain mine de se souvenir de ce qu'elle n'avait pas pu oublier.

— Vous avez été absent une partie de l'après-midi…

— Combien de temps ?

— Environ trois heures…

Nathan griffonne « trois heures » et entoure le chiffre.

— Vous m'avez vu revenir ? s'enquiert-il sans relever les yeux de son bloc-notes.

La secrétaire décide de se jeter à l'eau. Elle comprend qu'il faut le faire maintenant, lui dire ce qu'elle a sur le cœur, abréger l'interrogatoire.

— Je travaille moi aussi, Monsieur. Elle hésite : Je ne suis pas là pour surveiller vos allées et venues. Elle s'interrompt de nouveau avant de poursuivre : Mais je vous ai parlé. Et vous ne m'avez pas répondu... Vous aviez l'air... absent. Absent, oui.

— Que voulez-vous dire ?

— Ce n'est pas la première fois que je vous vois... dans cet état-là.

— Continuez. Nathan réfléchit, mais sa voix trahit son inquiétude.

— Vous vous souvenez de votre costume ? Il était, comment dire, plutôt sale. Enfin, vous m'aviez parlé d'un taxi qui vous avait éclaboussé, je crois. Il y avait de l'orage ce jour-là et...

— Oui... J'étais endormi dans mon bureau quand vous êtes passée à six heures. C'est bien ça ? Dans son esprit se bousculent de nouvelles images. Il sort du manoir. Il avance sous la pluie et la bourrasque. Il tombe dans la boue.

— Oui ! Vous voyez que vous vous souvenez... un peu...Ce n'est pas encore

Alzheimer, plaisante-t-elle. Peut-être de la narcolepsie ? Vous voyez un docteur ?

— Très bien ! l'interrompt Nathan qui connaît la curiosité mal placée de sa secrétaire. Merci… Ce sera tout, Élisa… Vous pouvez retourner à vos dossiers.

— Oups ! J'ai peut-être été un peu indiscrète, là. Désolée. Élisa se dirige vers la porte, mais se prend les pieds dans l'épais tapis.

Nathan ne peut s'empêcher de sourire. Mais, c'est le visage fermé et la voix sèche qu'il conclut : À ce sujet… (Élisa s'arrête net et pivote.) Je compte sur votre discrétion. Vous me comprenez ? Discrétion totale.

— Pas de problème, patron. Je tiens à ma place. J'aime bien être ici. L'atmosphère et le cadre, et puis les collègues de travail. Surtout que…

— Merci, Élisa.

Élisa sort du bureau en affichant un sourire narquois.

Nathan patiente quelques secondes avant de se pencher sur son bloc-notes. Le nom de Diane est entouré d'une trentaine de cercles. Son stylo, coincé entre les doigts de sa main légèrement

165

tremblante, et sur lequel il se concentre à présent. Après un temps, et une longue inspiration, il repose le stylo avec précaution, tel un démineur désamorçant un engin explosif. Les traits tirés, pensif, il lève ensuite les yeux au plafond, s'efforce de rassembler des souvenirs nébuleux. Il pivote sur son fauteuil et jette un œil à travers la baie vitrée.

Il se souvient de la trace de boue sèche trouvée sur le siège passager le jour où il devait se rendre chez sa mère. Il se souvient de l'avoir essuyée. La pluie tombait dru. Il était tombé en sortant du manoir… Il était entré dans sa voiture, avait essuyé son costume boueux de ses mains, puis s'était appuyé sur le siège passager.

Nathan fixe de nouveau la page portant les trois prénoms féminins. Il secoue la tête. Il ne comprend pas ce qui lui arrive. D'un geste de frustration, il arrache la feuille, la froisse et la jette dans la poubelle.

17

L'atmosphère est chargée sur la capitale normande – pas le moindre souffle de vent n'agite les branches. Aux gaz d'échappement des véhicules s'ajoutent les émanations fuligineuses des cheminées industrielles aux abords de la ville qui finissent de rendre l'atmosphère irrespirable.

Désemparé, accablé par les pensées macabres qui l'assaillent maintenant en permanence, Nathan arpente les quais de la Seine du quartier Luciline. Au bout d'une heure d'errance, il décide de se réfugier au Paradise Purple. En s'approchant du comptoir, il comprend vite que Max ne se trouve pas dans son état normal. Il tressaille en servant les verres et dévisage les clients d'un air sombre. La fatigue songe Nathan, qui s'installe sur son tabouret de bar favori.

— Un double, Max ! S'il te plaît…

Le barman lui sert un verre et le pousse sur le bar de sa main tremblante.

— Quelque chose ne va pas, Max ? finit par demander Nathan.

Max observe la salle entière tel un animal à l'affut, comme s'il craignait la présence d'une quelconque menace.

— Un flic est passé ici... Un vrai chasseur ce type... Un vrai chasseur... Il m'a posé des questions, Monsieur Toni. À propos d'Eva.

Nathan se demande soudain s'il a bien fait de venir se changer les idées au Paradise Purple. À son tour, il lance un regard soucieux vers la salle.

— Eva... Pour quelle raison ?

Max hésite avant de répondre. Il est sous tension, retient ses larmes : Son appart a été incendié.

— Je comprends... C'est dur. Nathan boit une gorgée de whisky et feint de dédramatiser.

— Non, vous ne comprenez pas ! lance soudain Max qui en lâche le verre qu'il tenait à la main. On l'a retrouvée morte !

Nathan encaisse le choc en vidant son whisky. Il secoue la tête, cherche à se donner une contenance, mais ne peut penser qu'à Sophia.

— Qu'est-ce qui s'est passé ? ose-t-il à peine demander.

— Vous n'êtes pas au courant ?

— Non. Quoi ? Elle est décédée… dans l'incendie ?

Max se relève, des morceaux de verre à la main.

— Non, noyée. Dans une rivière…

Max s'éloigne à l'autre bout du comptoir pour jeter les morceaux dans une poubelle. Il revient d'un pas plus déterminé et se penche vers Nathan.

— Vous m'aviez demandé d'être discret, Monsieur Toni. Je l'ai été. Mais, s'il vous plaît, vous ne me demandez plus rien, d'accord ? Plus rien… Je ne veux pas de problèmes…

— Pourquoi auriez-vous des problèmes ?

— J'ai… J'ai fait de la taule, quand j'étais plus jeune, avoue Max en baissant le ton. Des conneries. Des conneries avec des filles, vous comprenez ?

Nathan opine, surpris. Il dévisage Max. Regarde à nouveau la salle autour de lui. Puis rive ses yeux dans ceux du barman.

— Elle a été retrouvée où, Max ?

— Lisez les journaux… Moi, j'en parle plus… Je ne veux plus, ok… ! Et puis, si je peux me permettre, ce serait bien que vous trouviez un autre bar, vous comprenez ? Je suis désolé Monsieur Toni, hein ! Vraiment désolé…

Max s'éloigne de nouveau. Nathan jette un billet de sur le zinc et se dirige vers la sortie tel un automate. Il croise Delphine sans la voir ni l'entendre.

— Toni, tu pars déjà ?

La porte se referme derrière lui. Delphine hausse les épaules et se dirige, le sourire aux lèvres, vers d'autres clients plus enthousiastes.

Nathan laisse derrière lui les quais de la Seine pour rejoindre le boulevard Ferdinand de Lesseps. Il s'arrête devant un kiosque qui s'apprête à fermer. Il s'empare d'un quotidien régional sur une étagère et le feuillette. Dans les faits divers, il découvre la photo d'Eva et du lac. Il reconnait le banc rouge derrière lequel il s'était dissimulé avec le cadavre.

D'horreur, Nathan jette le journal qui termine sur le trottoir. Choqué par ce geste, le vendeur réagit sans retenue.

— Ben alors, merde ! Il est pas trop gêné, celui-là… ! Connard va !

Déjà loin du kiosque, Nathan avance à grandes enjambées sur le boulevard, comme s'il pensait pouvoir échapper à tout ce qui lui arrivait en se contentant de s'absorber dans la marche.

La nuit ne va pas tarder à tomber. Il regarde sa montre. Il faut rentrer, retrouver femme et enfants – faire comme si de rien n'était… Comme si de rien n'était…

En silence, Nathan dépose ses clés sur le petit meuble en rotin de l'entrée et se dirige vers la cuisine. Il aperçoit une silhouette immobile sur le fauteuil dans la pénombre du salon. Il allume. Céline. Assoupie. Elle ouvre les yeux, se retourne vers Nathan et masse son cou engourdi.

— Qu'est-ce que tu fais dans le noir ? demande Nathan qui aurait préféré repousser cet instant.

Elle soupire. Il sait ce qu'elle va dire, l'attente n'en est que plus insupportable, mais Céline prend son courage à deux mains, cherche les mots justes : J'ai… J'ai passé l'après-midi chez Fred. J'étais inquiète et… Tu n'es pas au courant ?

Nathan hausse les épaules, évite de donner une réponse, et Céline poursuit :

— Caro n'est pas rentrée depuis hier soir. Elle n'a laissé aucun message, aucune note. Fred devient fou.

« Bienvenue au Club » se dit Nathan qui comprend qu'il ne peut pas jouer plus longtemps – elle se serait posé des questions. Il s'assied face à elle en croisant les mains, observe d'abord ses pieds avant de lui lancer un vague regard embarrassé.

— C'est que…

— Oui, quoi ?

— Oui… Il hésite, plonge au fond de ses yeux aussi bleus que le lac, la sonde, s'apprête à parler, et s'absorbe de nouveau dans la contemplation de ses chaussures. Oui, j'ai eu le message de Fred, mais je n'ai pas pu le rappeler. J'étais en pleine réunion, tu sais… Tu crois vraiment que c'est sérieux ? Ce ne serait pas la première fois que…

— Non. Il a dû se passer quelque chose de grave. Elle ne se serait jamais absentée si longtemps en laissant les enfants sans aucune nouvelle… C'est horrible, mais, pendant un moment, j'ai pensé que Fred aurait pu…

— Aurait pu, quoi ?

— Avec les problèmes à son travail. Leurs disputes incessantes… Tu imagines ce qui aurait pu arriver si… Tu me comprends ?

Nathan culpabilise. Quelques secondes auparavant, il aurait voulu avouer, tout raconter, mais le meurtre de Caroline n'avait pas de meurtrier et les efforts, certes absurdes, qu'il avait déployés pour faire disparaître le corps empêchaient à présent toutes confessions.

— Arrête, Cel… Tu prévois le pire. Franchement, tu vois Fred en train de perdre les pédales au point de…

— C'est ce que je me suis dit. Et puis, il ne peut pas jouer la comédie. Il semblait si sincère ! Tu le connais. Sûrement mieux que moi.

Une idée folle traverse soudain l'esprit de Nathan :

— Évidemment… En même temps… Il s'interrompt et Céline l'interroge du regard. Il ne faut pas exclure toutes possibilités…

— Qu'est-ce que tu veux dire ?

— Exactement comme toi.

« Qu'est-ce que tu racontes, tu es cinglé ? » songe Nathan en prenant les mains de Céline comme pour se faire pardonner.

— Je ne veux pas t'alarmer... C'est que... Est-ce qu'il a prévenu la police ?

— Oui, bien sûr... J'ai si peur... Après ce qui est arrivé à la voisine de ta mère, c'est maintenant Caroline qui disparaît... Qu'est-ce qui se passe, Nat ?

— Ne t'inquiète pas pour Caroline, ma chérie. Les flics vont faire ce qu'il faut pour la retrouver. J'en suis persuadé.

— Et si c'était un tueur en série... On ne sait jamais ! Les journaux n'en parlent pas, mais peut-être que la police préfère que ça ne se sache pas et...

— Arrête, Cel... ! Qu'est-ce qui te prend ?

— Tu as raison mais... Je me monte la tête, probablement... Je suis désolée. Je ne sais pas ce qui m'arrive... Je...

— Ce n'est rien, ma chérie. Il faut rester calme.

— Je l'admire, ton calme. Moi, j'ai plutôt tendance à dramatiser et...

— Ecoute. Je vais aller voir Fred. Il a besoin de soutien. Je m'en veux de ne pas l'avoir rappelé.

— Il a essayé de parler aux enfants, apparemment. Mais je ne le sens pas bien.

— Pourquoi ?

— Il est incapable de gérer la crise… Si tu l'avais vu, il a passé son temps à pleurnicher.

— Je vais y aller.

Céline acquiesce, mortifiée, puis se lève et se dirige vers la cuisine.

— Tu ne voulais pas rester chez ta mère, ce soir ? lui demande-t-elle en disparaissant du salon.

Nathan frémit, accablé par une situation qui le voit s'enliser davantage, de minute en minute, comme s'il sombrait dans des sables mouvants.

— J'avais envie de rentrer.

— Je me fais une infusion. Tu veux boire quelque chose ?

— Non, merci…

Nathan se prend la tête entre les mains. Le monde s'écroule encore une fois. Des images l'assaillent à nouveau.

Le cadavre de Caroline qui disparaît dans le lac. Le cadavre de Sophia dans l'appartement d'Éva qui jaillit du mur. Éva qui sort de son immeuble et monte dans un taxi. Diane qui lui téléphone – puis son corps sur le sol du salon.

Et Emma qui lui disait : Ton frère. Il est revenu pour nous faire du mal.

***

Dans le silence de la nuit, la silhouette de Nathan se tient immobile devant la propriété des Cassel. On distingue la lumière allumée du grand salon, mais les chambres des enfants paraissent éteintes. Le regard vide, Nathan pose une main sur la grille. Il s'apprête à entrer quand une forme au sol attire son regard, cela ressemble à un petit sac à moitié écrasé coincé entre la grille et les gravillons de l'allée. De sa poche il saisit son téléphone portable et utilise la mini lampe incorporée à l'appareil pour éclairer la forme – le petit sac se révèle être le cadavre d'une sorte d'oiseau noir au bec orange, dont la tête imprégnée de sang fait aussitôt battre en retraite Nathan. Il ressent un profond malaise, une sensation de vertige, d'étouffement… Il titube un moment sur la route tel un alcoolique à la sortie d'un bar, et rebrousse chemin en maudissant ces moments incontrôlables de répulsions.

Nathan se tourne et se retourne dans son lit. À ses côtés, Céline ouvre les yeux, recroquevillée dans son coin. Elle s'interroge, réfléchit – le sommeil lui échappe aussi.

3h35. Nathan croit entendre des voix d'enfants, des rires, puis une femme dont les paroles restent incompréhensibles. Il s'assied et Céline s'adresse à lui sans le regarder.

— Nat… Ça ne va pas ?

— Je… Je n'arrive pas à dormir…

— Tu as parlé à Fred ?

— C'est que… Enfin… C'était éteint, toute la maison… Je n'ai pas voulu les réveiller.

Elle se retourne et souhaite l'enlacer, le réconforter, mais il se dérobe.

— Je vais prendre quelque chose… lance-t-il, comme pour s'excuser.

Il enfile un peignoir et sort de la chambre. Angoissée, Céline frappe des deux poings sur son oreiller, vaine tentative pour évacuer son anxiété et sa colère. Elle finit par le jeter par terre et se lève à son tour.

Dans le salon, Nathan s'est servi un verre de whisky au bar. Céline arrive, le dévisage.

— Qu'est-ce que tu fais ? lui demande-t-elle surprise.

— Comment « Qu'est-ce que je fais » ? répond-il, à la fois confus et perplexe.

— Tu bois de l'alcool à trois heures et demie du matin. Ce n'est pas dans tes habitudes. Enfin, je crois. J'ai l'impression que cette histoire avec Caroline te…

— Non ! Absolument pas ! Juste des problèmes au boulot. Rien de plus…

— Tu es le patron, Nathan. Les problèmes de boulot, tu as toujours su les gérer. Depuis des années. Alors que se passe-t-il ?

— Il se passe que ce sont mes affaires, d'accord ! Point barre, réplique-t-il agressif, presque menaçant.

Mortifiée, Céline cherche aussitôt à sortir mais Nathan la retient par le bras. Elle se débat, il renverse l'alcool dans la brève altercation, lui intime l'ordre de se calmer, et pose son verre avant de l'enlacer.

— Excuse-moi. Je ne sais pas ce qui m'arrive. Tu as sûrement raison. Toutes histoires avec ma mère, avec Diane, et puis maintenant la disparition de Caroline…

— Et tes problèmes de boulot… Elle l'embrasse tendrement. C'est moi qui suis désolée.

Elle prend le verre de Nathan, le remplit à moitié et l'avale d'un trait.

— Qu'est-ce que tu fais ? lui demande Nathan à voix basse.

— Ça va peut-être aussi m'aider à dormir, après tout.

Elle sourit et pose sa tête contre l'épaule de Nathan pour cacher son inquiétude. Bartel ferme les yeux et soupire.

18

La sonnerie de la porte d'entrée retentit, insistante. Nathan émerge à peine, trempé de sueur, à moitié groggy. Il cligne des yeux devant son réveil qui affiche 10h26, et s'assied au bord du lit en râlant d'une voix éraillée.

— Quel est l'abruti qui… ?

Il voit soudain le mot posé sur la table de chevet : « Désolée encore pour cette nuit. Je n'ai pas pu te réveiller, tu dois être vraiment fatigué. Je dépose les enfants à l'école avant d'aller travailler. Je t'aime ».

Le vacarme infernal continue. Furieux, Nathan se lève d'un bond, attrape son peignoir et sort de la chambre. Arrivé dans l'entrée, il ouvre à la volée, à la grande surprise du lieutenant Wodelski qui sursaute avant d'afficher un vague sourire. Il se gratte la barbe, montre du doigt l'Audi A8 de Nathan, garée devant la maison.

— Je savais bien que vous étiez là ! Votre A8… D'ailleurs, j'ai remarqué quelques vilaines rayures côté conducteur, sur la portière. Vraiment dommage, pour une si belle voiture.

— Que puis-je pour vous, inspecteur ?

— Je peux entrer ?

Nathan hésite : Je suis déjà en retard et…

— Quelques minutes. Promis. Ce ne sera vraiment pas long. J'ai des nouvelles, ajoute-t-il d'un clin d'œil rieur, et ça vous concerne.

Toujours indécis, Nathan s'écarte néanmoins pour laisser entrer le lieutenant. Il lui indique le salon et le suit. Doute et inquiétude le taraudent. Il lui faut à nouveau affronter le policier tout en restant persuadé qu'il n'est là que pour lui tendre un piège.

— Ouah ! Joli salon… Le luxe ! Ça, c'est de la réussite sociale ou je ne m'y connais pas !

— Vous prendrez un café ? Autre chose ? propose Nathan, expéditif.

— Non merci, monsieur Bartel. Entrons directement dans le vif du sujet, si ça ne vous dérange pas.

Impassible, Nathan s'assied sur un fauteuil, désigne le canapé à Wodelski qui opte pour un tabouret de bar.

— Je vous écoute, lieutenant. J'imagine que vous venez au sujet de Diane Lambert ?

— Entre autres, oui. En ce qui concerne Diane Lambert, nous avons une bonne nouvelle. Un cambrioleur, qui sévissait dans la région, a été arrêté. Notre homme aurait bien tenté de cambrioler le manoir ce jour-là.

— Très bien. Il a avoué ? l'interroge Nathan qui s'efforce de dissimuler sa surprise.

Wodelski détourne les yeux vers une toile représentant la propriété. L'arbre au double tronc se découpe devant la rivière. Le policier semble soudain absent. Nathan répète sa question.

— A-t-il avoué, lieutenant Wodelski ?

Obnubilé par le tableau, le flic n'arrive pas à en détacher son regard et il répond dans le vague.

— En quelque sorte…

— En quelque sorte ? Je ne comprends pas.

Wodelski secoue la tête. Il se ressaisit et dévisage Nathan.

— Il était sur les lieux et il aurait été témoin du meurtre de Diane Lambert.

Wodelski jauge à présent son interlocuteur qui, méfiant, reste muet. Ne supportant plus que le policier le tienne plus longtemps en haleine, Nathan écarte les bras, l'air interrogatif.

— L'assassin correspondrait à votre signalement.

Autour de Nathan le monde se fige soudain. Il éprouve une douleur dans la poitrine, son cœur prêt à imploser.

— Qu'est-ce que vous racontez ? C'est ridicule ! Qui est cet homme d'abord ?

Circonspect, Wodelski prend un paquet de chewing-gums dans la poche de son blouson. Il tend une tablette à Nathan qui refuse d'un geste. Les yeux du flic brillent, il esquisse un sourire en déballant avec minutie son chewing-gum – Nathan n'a plus aucun doute, Wodelski veut sa peau et il jouit de la situation trouble.

— Je tiens à vous rassurer tout de suite, poursuit le flic en commençant à mâchouiller son petit plaisir parfumé à l'anis, le témoin n'est pas vraiment fiable.

On peut dire qu'il est aux anges le Wodelski qui prend son pied à jouer au chat et à la souris alors que Nathan sait, plus que jamais, qu'il se trouve embringué dans une sale affaire. Il ne manquait plus que ce flic pervers, réalise-t-il, la cerise sur le gâteau empoisonné offert par son frère jumeau.

— Qui est-ce, alors ?

— Il s'est échappé d'un hôpital psychiatrique. Il n'en est pas à son coup d'essai.

— Ce qui veut dire ?

— Il a déjà tué. Il a pour modus operandi de faire passer les habitués des lieux pour des meurtriers.

Nathan soupire, soulagé sans être vraiment convaincu par l'histoire du lieutenant. Il se lève de son fauteuil en regardant sa montre.

— Très bien alors, l'affaire est donc close. Je vous raccompagne, lieutenant Wodels…

— Rien n'est moins sûr, monsieur Bartel. Ce n'est peut-être pas notre homme !

Il le savait, il savait que l'emmerdeur allait repartir à la charge.

— Je croyais que vous aviez dit…

Wodelski reste assis, il tourne sur son tabouret. Un sourire narquois insistant plisse le coin de ses lèvres.

— Cette affaire est loin d'être close… Et je pense que nous allons nous revoir assez vite au sujet d'un autre dossier… Je m'occupe également de la disparition de Caroline Cassel.

Nathan ne réagit pas, affiche un parfait contrôle de lui-même, comme il en a l'habitude lors des diverses crises que traverse régulièrement sa société.

— Très bien… En quoi puis-je vous aider ?

— Vous ne savez pas ? Wodelski feint la surprise.

Nathan ne vacille pas. Il ne va pas se laisser faire par ce minable petit flic.

— Vous êtes pourtant des amis proches, d'après monsieur Cassel.

— En effet, nous nous connaissons depuis de nombreuses années…

— Certainement ce qu'on appelle la loi des séries… lâche Wodelski. Des femmes assassinées disparaissent tout autour de vous. Une véritable hécatombe, hein !

Vindicatif, Nathan se redresse pour affronter son interlocuteur les yeux dans les yeux.

— Permettez-moi de ne pas trouver ça drôle, lieutenant…

Wodelski se lève à son tour. Toujours narquois, il continue de provoquer Nathan.

— Pardonnez-moi. Depuis que je fais ce métier, j'ai pris la mauvaise habitude d'avoir cet humour cynique... Vous me pardonnez, n'est-ce pas ?

— La disparition de Caroline Cassel est une grande douleur pour nos proches et nous-mêmes. Je ne me sens pas de faire quelque plaisanterie que ce soit... Qu'est-ce qui prouve qu'elle a été assassinée, d'abord ?

— Rien pour l'instant, en effet... Mais, j'ai eu des échos comme quoi leur couple était dans une très mauvaise passe. Vous n'étiez pas au courant, non ? Nathan hésite à répondre par la négative et Wodelski reprend : Caroline Cassel s'est peut-être confiée à votre femme ? Ou à vous-même ?

— Nous étions dans la confidence, c'est exact. Mais nos amis sont toujours restés discrets en ce qui concerne leur vie privée.

— Caroline Cassel n'est pas venue vous parler récemment ?

Nathan hésite un quart de seconde, et secoue la tête. Le silence s'abat sur la pièce et le flic examine à nouveau la toile avant de conclure : Très bien... Je vais vous laisser travailler, monsieur Bartel...

Wodelski se dirige vers l'entrée. Nathan lui emboîte le pas et lui ouvre la porte.

— Une dernière chose, Monsieur. Vous connaissez sûrement ce bar en ville, le Paradise Purple ? Vous savez, le genre d'endroit fréquenté par des hommes d'affaires rouennais.

Nathan sent venir le coup de grâce. Il fait semblant de réfléchir puis répond le plus naturellement possible.

— J'ai dû y mettre les pieds une fois ou deux. Pourquoi ?

— Vous y connaissez peut-être des filles ?

— Il m'est arrivé d'y prendre un verre avec des collègues ou des relations, après le travail. Rien de plus.

— Rien de plus… Wodelski gratte sa barbe, songeur. C'est vrai, j'avais presque oublié. Vous n'avez pas besoin de ça, vous ! Vous qui avez une belle famille, exemplaire… Pourtant, des filles de ce bar ont aussi été tuées ou ont disparu sans que… Il s'interrompt et dévisage à nouveau le PDG. Incroyable, non ?

Nathan a l'impression d'être sondé, disséqué par ce salopard de flic qui passe son temps à tourner autour du pot. C'est un coup bas, mais il faut à tout prix garder son sang-froid, reprendre le contrôle, répondre du tac au tac à cette ultime attaque.

— En effet, des choses incroyables, inimaginables, arrivent à Rouen et dans le monde entier chaque seconde… Bartel affiche à son tour un sourire laconique. Je ne vois pas en quoi je puis vous être utile, lieutenant Wodelski.

— L'affaire est encore toute chaude… Pour l'instant, je ne fais que me renseigner… Une dernière chose… Vous auriez entendu parler d'un certain Toni qui fréquente également ce bar ?

Nathan secoue la tête, en feint l'indifférence.

— Nos services, reprend Wodelski, sont en train de visionner des vidéos du Paradise Purple… On devrait bientôt en savoir plus.

Nathan acquiesce et suit du regard Wodelski qui se dirige d'une manière nonchalante vers sa voiture. Le policier se retourne brièvement vers lui, un brin cynique.

— Très bien… Alors à bientôt, monsieur Bartel… Bonjour à votre belle petite famille !

Furieux, inquiet et contrarié, Nathan referme la porte. Il inspire profondément puis revient dans le salon. Il s'assied dans un fauteuil, la tête entre ses mains. Mais il n'arrive pas à rester immobile et ses yeux se portent sur le tableau du manoir auquel Wodelski semblait tant s'intéresser. Las, Nathan se penche pour ramasser la télécommande de la télévision sur la table basse en bois massif. Il presse une touche, zappe quelques chaînes puis s'arrête sur un film. Une scène d'enterrement. Son regard s'éclaire.

19

Il avance dans le cimetière qu'il examine avec une attention particulière, se concentre un instant sur une allée voisine. Une vieille femme en robe noire vient de déposer des fleurs au pied d'une croix avant d'arranger la sépulture du défunt déjà bien garnie. Nathan s'arrête devant une stèle et inspecte le monument sous tous les angles. « Ici repose Nathaniel Bartel, mon enfant bien-aimé », indique l'inscription en lettres d'or. Contournant la tombe, il marche sur un morceau du socle semblant s'être effrité. Il l'effleure de la main droite et pousse sur la dalle qui vacille.

Nathan se redresse, recule, stupéfait. D'un œil vif, il observe les alentours avec suspicion – la femme âgée qui se recueille dans l'allée voisine, elle l'épie, se dit-il. Plus loin, au fond du cimetière, Nathan croit apercevoir la gitane, Annabella, mais la silhouette furtive disparaît dans les fourrés. Nathan veut en avoir le cœur net et se lance à sa poursuite.

Choquée, la vieille dame lève les yeux vers le perturbateur et se signe.

Arrivé à hauteur des arbres, Nathan cherche la gitane autour de lui… Rien. Elle s'est évanouie dans la nature.

En revenant vers la sépulture de son frère, Nathan remarque que la femme en robe noire discute avec le gardien et le désigne d'un geste. Tête basse, tel un vulgaire criminel, Nathan s'éloigne vers la sortie.

***

Un hibou hulule dans la nuit calme et étoilée. Vêtu d'un jean et d'un tee-shirt noir, Nathan force la chaîne du cimetière à l'aide d'un pied de biche. Équipé d'une pelle, il franchit la grille qui grince et avance vers la tombe de son frère tout en scrutant les alentours, attentif au moindre bruit, au moindre mouvement dans le feuillage. Une atmosphère de films d'horreurs, songe-t-il un instant. Qu'est-ce que je fais, là ?

Arrivé devant la sépulture de Nathaniel, Nathan pose la mini pelle avant de déplacer la lourde dalle de marbre à l'aide du pied de biche.

Loin derrière, à l'entrée du cimetière, une silhouette discrète se faufile jusqu'à un bosquet.

Nathan reprend la petite pelle. Il lève de nouveau la tête et inspecte les lieux du regard avant de commencer à creuser…

Le fer de la pelle finit par heurter le couvercle en bois massif du cercueil. Essoufflé, Nathan récupère quelques secondes. Il s'arcboute afin de soulever le couvercle, contracte ses muscles, mais celui-ci cède beaucoup trop facilement – Nathan se rend compte qu'il a déjà été forcé – et révèle la bière vide. Nathan reste figé, sidéré, au bord du trou noir terrifiant. Il voudrait se réveiller de ce cauchemar.

Les gravillons crissent soudain. Il se retourne vers la grille d'entrée. Personne. Il songe aussitôt à Wodelski – ce tordu l'aurait bien suivi jusqu'ici en pleine nuit. Un rictus éclaire le visage de Nathan : il aurait vraiment beaucoup de mal à expliquer son exploration nocturne… et surtout la disparition du cadavre de son frère jumeau.

Il referme le couvercle et s'apprête à replacer la dalle de marbre lorsqu'il sent une présence. Des bruits de pas pressés sur le gravier se font soudain entendre. Son regard se pose sur la pelle qu'il ramasse et empoigne des deux mains. Il se retourne quand un violent coup de pied le cueille en plein visage. Par terre, sonné, Nathan tente de se relever, il distingue plusieurs silhouettes qui dansent autour de lui. Un autre coup, plus sec, l'assomme avant qu'il ne puisse réagir.

— Putain, t'es con, Hugo ! Tu l'as pas buté au moins ?

— Pas encore ! s'esclaffe le punk. Regardez-le ce minable, c'est ce bourge, le mec en A8, pété de thunes ! Tu vois, j'avais bien reconnu sa caisse devant le cimetière !

— Pas vraiment net, le mec ! Fouiller des tombes en pleine nuit ? s'étonne une jeune femme.

— P'tête qu'il nous attendait ! P'tête qu'il voulait creuser sa propre tombe, lance Hugo en tournant ses yeux injectés de sang vers ses acolytes.

Alors tous se mettent à pousser le corps inerte de Nathan dans le cercueil de son frère jumeau. Des cris de joie fusent à travers le cimetière. Le hibou s'éclipse vers des cieux plus sereins…

***

Il a froid. Une odeur âcre et humide irrite ses narines. Il veut se relever, mais sa tête pèse une tonne. Il comprend tout de suite où il se trouve quand ses mains tâtonnent sur le bois. Il se redresse, effort extrême, épuisant, se retourne et dégage la fine couche de terre qui recouvre son corps. Il aperçoit soudain la lumière blafarde de la pleine lune d'un endroit auquel il n'aurait jamais pu s'imaginer la voir – le trou béant d'une tombe. De la tombe de son propre frère.

Nathan se dit que ses agresseurs n'ont sans doute pas voulu le tuer, mais – seulement – lui procurer la peur de sa vie. Ils s'étaient contentés de lancer quelques poignées de terre et avaient dû fuir au premier coup de vent dans les branches des arbres, comme les lâches qu'ils étaient.

Nathan souffre, ses bras tremblent de fatigue tandis qu'il s'accroche au rebord afin de sortir au plus vite du tombeau. Ses jambes manquent de se dérober sous lui quand il découvre un corps inerte, couché sur le ventre, près du monument.

Sous la lune, il reconnaît le punk déjà croisé en ville à plusieurs reprises. Nathan finit par se hisser hors du trou et reprend peu à peu son souffle. Il observe le jeune homme immobile, les yeux grands ouverts. Son expression reflète sa terreur face à la vision sinistre et foudroyante de la grande faucheuse.

Il a le crâne fendu, le sang a coulé sur le marbre −comme sur le fer de la pelle. Nathan se relève, regarde autour de lui. Personne, les autres membres de la bande se sont enfuis.

L'aube approche. Épuisé, Nathan laisse tomber son outil. Il replace la pierre tombale et contemple, une dernière fois, l'endroit où se trouvait le corps d'Hugo, une heure plus tôt. À l'aide de quelques coups de pieds, il fait disparaître les graviers colorés de pourpre. Il lève les yeux et son regard perdu se noie vers l'horizon mauve et paisible.

Soudain, un bruit. Dans un buisson. Il se retourne, paniqué : C'est toi, Nat… ? Il comprend alors la portée de ses paroles et poursuit, pour lui-même. Arrête de délirer, bon sang ! Tu te rends compte de ce que tu dis ?

Un gros hérisson tranquille sort des fourrés. L'être-humain secoue la tête d'un air désespéré et soupire.

20

Nathan n'a pas trouvé la force de se changer, prostré, affalé sur le fauteuil du salon devant la cheminée et le miroir. Réfugié dans un autre monde, il ne semble pas entendre les enfants qui se chamaillent dans la cuisine, en prenant leur petit déjeuner. La voix de Céline claque et sonne le retour au calme.

Vêtue d'un tailleur pourpre, elle passe en coup de vent devant le salon mais aperçoit son mari figé dans ce fauteuil. Intriguée par cette attitude qui ne lui resemble pas, elle tourne les talons et entre dans la pièce principale de la maison.

— Nat... ! Qu'est-ce que tu fais dans cette tenue ? Tu es dans un état... ! (Il ne réagit pas.) Nat, tu m'entends... ? Je te parle...

Nathan, hagard, marmonne des paroles incompréhensibles. Il ose à peine regarder Céline qui le dévisage, inquiète. Il secoue la tête et grommelle : Non... Ce n'est pas possible...

— Qu'est-ce que tu as ? Ça ne va pas ?

Des larmes emplissent les yeux de Nathan.

— Qu'est-ce que tu as fait, Nat ? Elle l'interroge une nouvelle fois. Apeurée, elle craint le pire.

Un éclair de lucidité traverse soudain Nathan. Il lui faut réagir. Il faut qu'il parle à Céline. Sans doute le seul moyen de sortir de ce cauchemar. Il a toujours pu compter sur elle, et aujourd'hui, il n'a jamais eu autant besoin de son soutien. Mais la panique le submerge : à voir l'expression de son épouse, il comprend qu'elle le suspecte d'avoir commis l'irréparable.

— Il s'est passé quelque chose d'horrible.

— De quoi tu parles ? Tu me fais peur, Nat.

Il hésite à tout lui avouer. Mais peut-il se le permettre ? Lui-même ignore ce qui arrive réellement, quel tournant prend sa vie.

— Tu me… Tu me soupçonnes, au sujet de… Caro, c'est ça… ? Je n'ai rien fait… Rien… Ce n'est pas moi… C'est lui… ! Il continue ses horreurs, le salopard… C'est lui, Cel… Tu comprends, hein… ! C'est lui… LUI !

« Lui ».

« Lui ».

— Nat… J'ai vraiment peur que tu…

Céline est au bord des larmes quand elle voit Lise avancer dans l'encadrement de la porte du salon. Craintive, elle observe ses parents qui échangent des regards gênés, puis la dévisagent, sans savoir quoi lui dire. Troublée, elle s'approche et découvre son père en haillons. Et la folie dans son œil. Et sa mère en pleurs. C'en est trop pour la fillette. Céline s'en rend compte, se reprend et l'entraîne dans le couloir.

— Qu'est-ce que tu fais là, ma chérie ? Va dans la cuisine finir ton…

— Je l'ai fini mon petit déjeuner, maman, réplique-t-elle.

Déroutée, Céline essuie une larme et accompagne Lise vers la salle de bains.

— Viens te laver les dents, alors…

— Pourquoi il est tout sale, papa ?

— Il a fait le jardin et… il est très fatigué.

— Quand ? Cette nuit ? Il paraît qu'il y a des fleurs qu'on plante la nuit pour qu'elles soient plus jolies. C'est des bêtises, hein ?

— Sans doute.

Céline fait entrer Lise dans la salle de bains. Elle referme la porte après lui avoir adressé un sourire qu'elle aurait voulu rassurant, et retourne aussitôt dans le salon. Elle croise les bras, mal à l'aise, elle dévisage Nathan, soudain envahie par un terrible pressentiment.

***

Les enfants montent à l'arrière de la Micra rouge vif. Céline se penche vers la domestique brésilienne, Andréa, déjà installée derrière le volant.

— J'irai les chercher, Andréa. J'ai pris ma journée.

— Très bien Madame, répond-elle avant de s'adresser aux petits : Tout le monde est attaché derrière ? Dans le rétroviseur, elle les voit qui hochent la tête. Alors en route !

La voiture démarre et s'enfonce dans l'allée principale. Céline lève la main et s'efforce de sourire, mais dès que la Nissan rouge disparaît, son visage se ferme, s'assombrit. Elle se retourne vers la maison et aperçoit Nathan derrière la baie vitrée du salon. Elle avance vers l'entrée, angoissée, chancelante, craignant les longues minutes d'explications.

Elle pénètre dans le hall, la gorge serrée, et rejoint Nathan qui s'absorbe toujours dans la contemplation du jardin.

— Il s'est passé quelque chose entre toi et Caroline ? l'interroge soudain Céline.

Il tourne son visage vers elle. Il l'observe sans répondre, totalement égaré.

Céline s'assied sur le canapé, enfouit sa tête entre ses deux mains. Accablé par le doute et la douleur, Nathan a les yeux fixés sur le sol.

— Comment est-ce possible ? Pourquoi… ? Comment peux-tu croire que ton frère est toujours vivant ? Pourquoi aurait-il tué Caroline ? Pour te protéger de quoi ? C'est absurde !

— Je n'ai pas d'autre explication… Il n'y en a pas, réplique-t-il en prenant à témoin son reflet dans le miroir.

— Il doit y en avoir, Nat ! Ce n'est pas possible !

Céline se lève et arpente la pièce, soudain, elle se fige : Et ce carnet ? Le carnet de Nathaniel, où est-il ?

Nathan détourne les yeux et les rive de nouveau sur la baie vitrée.

— Dans la voiture… La boîte à gants… Sous mon siège, peut-être…

Céline récupère les clés sur un meuble et sort de la maison.

À distance, elle ouvre l'A8, entre côté passager et fouille la boîte à gants. Aucune trace du carnet de Nathaniel. Elle se met alors à chercher frénétiquement dans tous les recoins : sous les sièges, entre les sièges, dans les compartiments des portières puis dans le coffre – toujours rien. Elle se redresse, se retourne et croise le regard de Nathan qui attend, comme liquéfié d'incertitude derrière la baie vitrée. Le visage de Céline se décompose. L'air absent, Nathan ouvre machinalement la fenêtre et s'approche.

— Tu mens ! dit-elle, furieuse. Tu mens ou tu es devenu complètement…

Il s'arrête au milieu de la pelouse, affiche une totale incompréhension. Céline revient vers la maison en cherchant à éviter Nathan. Il la rejoint, l'attrape par le bras. Elle se débat.

— Tu dois me croire. Il a avoué ses crimes et…

— Et quoi ? Tu étais si proche de ton frère jumeau que tu as pris sa relève ?

La colère de Céline et le venin contenu dans ses derniers mots clouent Nathan sur place.

Il vient d'entendre ce qu'il se refuse à admettre. Aurait-elle raison ? Lui aurait-elle ouvert les yeux sur la seule vérité possible et imaginable ?

Il lui lâche le bras – elle lui rend sa clé.

Céline baisse la tête, prise de remords. Elle s'en veut. Au fond d'elle-même, elle ne pense pas ce qu'elle a dit… Il doit y avoir une explication tangible, rationnelle.

Mais, pour l'instant, le mal est fait, et Céline tangue, s'effondre dans un sanglot.

— C'est une histoire de fou ! Une histoire de fou !

— Peut-être... Peut-être que tu as raison, après tout... Pourtant, toute ma vie j'ai eu la sensation d'avoir à échapper à cette ombre et...

— Qu'est-ce que tu veux dire ?

— J'ai toujours eu l'impression d'être suivi, où que j'aille je... Parfois, ça en devenait insupportable.

— Tu ne m'en as jamais parlé !

Il soupire en observant les alentours d'un vague regard inquisiteur.

— Tu culpabilisais à cause de ton frère et de cet accident avec cette fille, Agnès ? reprend-elle. Et lui, tu imagines ? C'est pour ça que tu n'as plus voulu revoir Nathaniel ?

Égaré, confus, Nathan hoche la tête en silence. Il se laisse aller et plonge dans les yeux embués de Céline, il semble y chercher de quoi nourrir sa mémoire...

Dans la chambre de Nathan, au manoir, les jumeaux, âgés d'une vingtaine d'années, s'insultent.

— *Pauvre malade ! hurle Nathaniel. Comment peux-tu me parler ainsi ?*

— *C'est moi le malade, vraiment ? Mais, pauvre taré, tout ça, c'est ta faute ! Tu as foutu notre vie en l'air !*

— *Si tu savais ce que j'ai fait pour toi, Nathan… ! Salopard de… !*

Ils en viennent aux mains quand leur mère entre et tente de les séparer.

— *Arrêtez, tous les deux !*

Céline a pris Nathan dans ses bras. Les yeux brillants, il scrute les arbres et leurs branches agitées par le vent.

— J'ai toujours eu la sensation qu'il était là, quelque part, confie Nathan. Qu'il me suivait pour… Pour je ne sais qu'elle raison.

— Tu n'as jamais cherché à le revoir ?

— J'aurais sûrement dû faire quelque chose… Il doit y avoir une explication. Il a commis tous ces crimes et encore aujourd'hui…

Céline relâche soudain Nathan et recule.

— Ton frère est mort, Nat ! Mets-toi bien ça dans le crâne ! Je l'ai vu de mes propres yeux. Même si je devais croire à ce carnet, qui s'est subitement évaporé dans la nature, rien n'explique la disparition de Caroline.

Eva retrouvée noyée dans le lac où il avait jeté le corps de Caroline...

Le cadavre d'Hugo, le jeune punk, gisant dans le cimetière qu'il avait poussé dans le cercueil de son frère...

Comment élucider ces meurtres ? Comment aurait-il pu en parler à Céline ? Son instinct lui avait commandé de taire le destin des autres victimes. Avait-il eu raison ?

— Ce n'était peut-être pas lui, dans le cercueil, dit Nathan après réflexion. Tu n'as vu qu'un vieil homme... Juste un vieil homme... !

Céline tente de garder son calme. Elle joint ses mains sous son menton, comme en prière : faites que tout cela cesse, que tout redevienne normal. Comme avant.

— C'est insensé, Nat ! Insensé... Je ne veux plus entendre ça. Je ne veux pas croire qu'une horreur pareille nous arrive. Je ne veux pas...

Sans finir sa phrase, elle tourne les talons et se dirige vers la maison. Nathan l'observe, secoue la tête et s'approche du véhicule. Il cherche à comprendre où se cache le carnet de Nathaniel. Une seule solution, la fouiller de fond en comble. C'est au tour de Céline d'attendre derrière la baie vitrée. Les yeux humides, elle épie Nathan qui retourne l'intérieur de l'Audi.

Nathan ressort. Et, de rage, furieux de n'avoir rien trouvé, il frappe des deux poings le toit de la voiture.

21

Le noir complet. Un croassement lointain. Une odeur d'herbe sèche portée par un vent léger. Une lumière soudaine, intense et bleutée, que traverse un battement d'aile noire – Nathan vient d'ouvrir les yeux et découvre un corbeau qui se perche sur la balançoire des enfants. Le volatile l'observe, curieux, puis croasse bruyamment en direction d'un soleil haut qui brûle le gazon jauni.

Bartel réalise qu'il s'est endormi sur la pelouse de la propriété. Il se redresse en un sursaut. L'oiseau au plumage soyeux déploie ses ailes et reprend son vol au-dessus d'une haie de résineux.

Un moment de panique s'empare de Nathan quand il voit la porte de la maison entrouverte. Il se relève, court vers l'entrée.

Il explore toutes les pièces en appelant Céline. Dans la cuisine, elle lui a laissé une note sur le plan de travail : « Je suis chez Fred. Ne t'inquiète pas, je ne parlerai de rien. Trouve la solution. Je veux te faire confiance ».

Nathan froisse le papier, à la fois rassuré et énervé.

L'A8 se gare sur la petite route cernant la propriété des Cassel. Nathan descend de sa voiture et s'approche du muret blanc donnant sur l'arrière de la maison à colombage. Il l'escalade et pénètre sur le domaine. Un bosquet d'arbres et de buissons le dissimule. Il se faufile discrètement, écarte les feuillages et aperçoit Fred et Céline, assis sur des chaises longues. Une cinquantaine de mètres le sépare de la terrasse. Il les entend à peine, mais observe leurs mouvements : Fred se prend la tête entre les mains. Céline se lève et lui effleure la joue.

Nathan déteste les pensées qui le traversent alors. Il imagine Céline consolant Fred... d'une autre manière... afin de se venger des soupçons qu'elle entretient à son égard. Même s'il avait négligé de révéler les instants sulfureux passés avec Caroline juste avant sa mort, il connaît le pouvoir de l'intuition féminine. Nathan remarque soudain Céline qui regarde fixement dans sa direction – il rebrousse chemin jusqu'au muret, l'escalade et grimpe en vitesse à bord de l'A8.

Il roule en direction de Rouen, absorbé dans ses réflexions. Que faire pour contrecarrer les plans de Wodelski ? Les évènements de cette nuit meurtrière s'imposent une nouvelle fois à son esprit. Si quelqu'un venait à ouvrir la tombe de son frère, il trouverait le cadavre d'Hugo le crâne défoncé, et non celui de Nathaniel. Facile de lui coller un autre crime barbare sur le dos. Alors, fallait-il le déplacer avant qu'il ne soit trop tard ? Au risque de se faire serrer en flagrant délit par Wodelski ?

Il gare l'Audi A8 devant la clinique de l'Europe, descend de voiture et, tête basse, se dirige vers l'entrée du bâtiment principal. Il s'arrête tout à coup au milieu du parking et exécute un tour complet sur lui-même afin d'explorer les alentours. Le regard fiévreux, il a de nouveau la sensation étrange d'être suivi, sensation qui le trouble, qui l'angoisse au plus haut point. Des patients assis devant l'hôpital le dévisagent en silence. Nathan se remet en marche le plus naturellement possible.

À l'accueil, on lui indique les sous-sols. Il descend par l'ascenseur, emprunte un labyrinthe de couloirs aux murs jaunâtres, pénètre dans une immense salle grise, aveugle, d'un autre temps, remplie de casiers métalliques jusqu'au plafond – à croire que tous les Normands morts se trouvent à présent ici. Un employé voûté, clone du Bossu de Notre-Dame, portant une blouse blanche élimée, accompagne Nathan devant un tiroir. L'homme aux sourcils grossiers se mouche, et sort avec une certaine nonchalance une fiche cartonnée parmi des dizaines de milliers.

— Voyez bien, M'sieur… ! bafouille le bègue en soulignant du doigt une partie du document. Nathaniel… Bartel. La date, l'heure du… décès. L'heure du… transfert à la… morgue. Et là, z'avez la prise… en charge par les… croque-morts… Enfin… les pompes… funèbres.

Nathan réfléchit un instant et lui rend la fiche.

— Bien, je vous remercie…

L'employé fronce les sourcils et le salue. Le visage fermé, Nathan sort de cet univers antique sans se retourner.

Dehors, au moment même où il s'allume une cigarette, il distingue la silhouette du lieutenant Wodelski, au volant de sa voiture. Son cœur s'emballe – Bartel s'imagine déjà cerné par une brigade entière de policiers, plaqué sur le bitume par deux brutes en civil qui s'escriment à lui passer les menottes aux poignets tandis qu'il se débat en clamant haut et fort son innocence devant le personnel de la clinique et les malades indignés par cette violence gratuite. La vision cauchemardesque de Nathan fait long feu : Wodelski ne bouge pas de son tas de ferraille et aucun flic ne se planque dans les parages. Le cadavre d'Hugo, seule preuve tangible pouvant mener à son arrestation immédiate, n'a donc pas encore été retrouvé. Nathan feint de ne pas le voir et avance d'un pas résolu vers l'A8 garée de l'autre côté du parking.

En se réfugiant à bord de l'Audi, Nathan regarde dans son rétroviseur intérieur afin de repérer le policier un peu trop zélé. Rien. En revanche, il se découvre, surpris, des rides et cheveux blancs qu'il ne se connaissait pas. Il détourne les yeux, ouvre la vitre et scrute l'endroit où se trouvait la voiture de Wodelski quelques minutes auparavant. Rien, non plus. Il se perd en conjectures.

— Qui t'a déterré, Nat ? Tu étais bien dans ce cercueil, bon sang !

Il secoue la tête de dépit. La sueur coule sur son front. Son expression se fait plus grave, sa main droite tremble.

— Pas moi, non… Pas moi… Je ne suis pas responsa…

Un texto, envoyé par Delphine, coupe court à ses réflexions : « J'ai appris des choses sur Sophia. Je t'attends chez moi ». Étonné, il démarre.

À travers les rues de Rouen, la voiture de Wodelski réapparaît dans le rétroviseur de Nathan – elle le suit de près. Bartel accélère prend le risque de semer le flic, mais celui-ci s'accroche comme une sangsue. Nathan emprunte un sens interdit – personne en face – et fonce. Wodelski le traque toujours. Nathan évite le choc frontal avec un camion, l'A8 passe de justesse… pas Wodelski qui se retrouve nez à nez avec le semi-remorque.

Nathan trouve une place devant l'immeuble de Delphine et, en sortant, croit apercevoir son frère monter dans un bus. Un Nathaniel rajeuni, comme s'il n'avait pas vieilli. Nathan court, essaie de le rattraper. Trop tard. Alors, il le voit, le dos tourné à la vitre, la tête plongée dans un quotidien et de désespoir, il crie « Nathaniel ! » sous les regards intrigués des badauds. Il fonce, s'efforce d'accélérer encore et puis renonce, plié en deux, essoufflé. Non, à bout de souffle, comme un vieux. Nathan se retourne et remarque une femme âgée qui vient de descendre du bus.

— Madame ! Madame ! Vous n'auriez pas vu un homme monter dans le bus ? Un homme qui me ressemble… beaucoup ?

Elle l'examine, méfiante, recule d'un pas.

Nathan reprend : Il s'agit de mon frère jumeau. Il est mort… Mais je l'ai vu monter dans ce bus !

Elle ouvre de grands yeux inquiets, sur la défensive, tourne les talons et l'abandonne à son délire.

Nathan la regarde partir, résigné. Il s'essuie le front avec un mouchoir en papier et se dirige vers l'immeuble de Delphine. Quand il pousse la porte, il se sent submergé par le désespoir.

Il préfère emprunter l'escalier. Pas le moment de rester bêtement coincé dans l'ascenseur. Il arrive au troisième étage, sur le palier de l'appartement de Delphine, fourbu. Comme faible. Il a l'impression d'avoir pris vingt ans en quelques heures. Nathan cherche à se rassurer : ce qu'il a vécu aurait mis KO n'importe quel homme normalement constitué. Il se remotive, mobilise ses dernières ressources. Il s'est toujours sorti de n'importe quelle situation, même la plus inextricable.

Il s'apprête à sonner à la porte quand il se rend compte qu'elle est entrouverte. Il tressaille, craint le pire. Après avoir posé la main droite sur la poignée, il la relâche et la pousse doucement du bout des doigts. Il n'ose pas entrer. Alors, il souffle à voix basse dans l'entrebâillement : Delphine… Delphine… Tu es là ?

Une porte claque au-dessus. Il veut fuir, mais se ravise et finit par entrer dans l'appartement de Delphine.

Nathan referme discrètement derrière lui. Par le judas, il voit une vieille dame. Très digne, elle se tient à la rampe et descend lentement, péniblement. « Pourquoi n'a-t-elle pas pris l'ascenseur, bon sang ? », pense-t-il, en mordillant sa lèvre inférieure.

Sous le poids de sa main, la porte grince – la voisine s'arrête et jette un œil. Il retient sa respiration. Elle hausse alors les épaules d'un air méprisant et reprend sa marche.

La vieille dame disparue, il se retourne dans l'obscurité de l'appartement. Il avance à tâtons dans le salon où les doubles rideaux tirés occultent la fenêtre. Personne. Sur le comptoir, il trouve le portable de Delphine. Elle ne doit pas être bien loin. Il s'empare du mobile et appuie sur une touche. Le téléphone revient à la vie avec en fond d'écran les grands yeux verts du chat de la prostituée.

Il le repose quand un SMS s'affiche. Il hésite un instant et finit par consulter le message : « Voilà encore une qui ne te fera plus de mal. Nathaniel ».

Blanc. Panique. Il cherche le numéro correspondant au texto, mais rien n'apparaît. Il se précipite alors dans le couloir, ouvre les trois autres pièces, puis les toilettes et la cuisine.

Delphine gît ensanglantée sur le plan de travail. Les bras en croix, le corps hérissé d'une dizaine de couteaux.

Il se retient de vomir, il voudrait s'enfuir, mais, la peur le paralyse et l'empêche de penser clairement. Il avance, comme attiré par ce tableau morbide. Il se prend les pieds dans un tabouret, se cogne contre la table, s'écroule, parvient à se raccrocher à la poignée du réfrigérateur qui s'ouvre et dévoile le cadavre égorgé du chat, les yeux grands ouverts, la tête pendant dans le vide. Nathan tressaille, manque d'air, ses poumons vont exploser, sa vision s'obscurcit.

***

Un portable sonne… Nathan se réveille sur le lit de Delphine, toujours en costume. Les épais rideaux s'ouvrent sur la nuit. Il fouille dans sa poche. Céline. Il hésite avant de décrocher.

— Oui…

— Où es-tu ? Je suis inquiète…

Fallait-il encore mentir ? Se poser la question revenait à y répondre. Comment crois-tu qu'elle va réagir si tu lui dis que tu es chez une pute. Une pute morte, assassinée. Il faut gagner du temps. Mais combien m'en reste-t-il ?

— Quelle heure est-il ? Je…

— Tu devrais le savoir, Nat. Il est presque minuit.

— Je me suis endormi… dans ma voiture.

— Rassure-moi. Je t'en prie, supplie Céline d'une voix bouleversée.

Il s'assied au bord du lit, redresse la tête, et fixe le téléphone de Delphine posé sur le comptoir. Il inspire profondément.

— Écoute… J'ai trouvé un message, sur un portable. Ça pourrait m'aider à…

— Un message ? Quel genre de message ?

— Un SMS, signé Nathaniel.

— Nathaniel ! Tu as donc son numéro ?

— Non, évidemment, il n'apparaît pas.

— Même s'il n'apparaît pas, la police pourrait sans doute identifier le véritable auteur.

— Sans doute, oui, répond-il sans conviction en passant plusieurs fois sa main dans ses cheveux épais.

— Il est à qui ce portable ?

La question fatidique. Il se lève. Il soupire. L'image du cadavre de Delphine se fraie un chemin dans son cerveau. Il sait qu'il ne s'agit pas d'une hallucination. Il hésite… avant d'avouer : Une femme…

— Une femme ! Mais qui ?

Une forme de vertige l'accapare, comme s'il était au bord du vide, perché sur les hauteurs d'une immense falaise.

— Une prostituée…

Céline reste sans voix, moment interminable. Il perçoit un sanglot, étouffé. Il faut réagir, vite.

— Cel… Il a tué cette femme chez elle, dans son appartement…

— Où es-tu ? Je te croyais dans ta voiture !

— Cel, je… Je vais t'expliquer, c'est…

— Qu'est-ce que je vais encore apprendre sur toi ?

— Cel ! Je te jure… Fais-moi confiance !

— Je ne sais pas… Je ne sais pas.

Le portable de Delphine se met à vibrer. Nathan fixe à nouveau l'appareil, les yeux écarquillés.

— Je te dis la vérité. Crois-moi ! Tu dois me croire !

— Alors, va à la police ! s'exclame Céline qui tente de se maîtriser. Avec ce téléphone et ce message. Ne touche à rien dans l'appartement de cette fille. Il doit bien y avoir des empreintes, quelque chose, n'importe quoi, pour te disculper.

Le portable de Delphine cesse de vibrer.

— Cel, je t'aime… Je…

— Non, Nat… Tais-toi… Règle cette histoire. Je dois réfléchir… Tu comprends ça… ?

Cel… !

Elle raccroche.

À nouveau au bord du gouffre, il sait qu'il doit garder son calme, maîtriser ses nerfs… avant toute chose, maîtriser ses nerfs…

Le mobile de Delphine indique la présence d'un nouveau message vocal. « Delph, c'est Max. J'ai des clients pour toi qui attendent depuis deux plombes. Qu'est-ce que tu fous, bordel ? Rappelle-moi au plus vite, tu veux ! »

Nathan raccroche et se met à chercher le SMS signé par Nathaniel. Fichier vide. Une lueur, une appréhension embrase son regard – le corps de Delphine mutilée… Il se précipite vers la cuisine. Il entre.

Le corps a disparu – la pièce est impeccable – plus aucune trace de sang. Il tire la porte du réfrigérateur. Rien. Plus de chat crevé. Tout est en ordre, propre, bien rangé. Désemparé, il vacille, se reprend, fouille partout.

Rien. Personne. On aurait pu douter de l'existence de Delphine.

22

Nathan sort en courant de l'immeuble comme un animal traqué. Il s'arrête brusquement au milieu du trottoir. Au-dessus de lui, un lampadaire grésille, s'allume et s'éteint par intermittence. Il entend le crissement des papillons de nuit qui frôlent l'ampoule jusqu'à s'en brûler les ailes. Il s'approche, hypnotisé par les insectes, et descend sur la chaussée. Dans une voiture garée non loin, un jeune couple le dévisage d'un air circonspect. Il détourne la tête, relève son col de veste et grimpe à bord de l'A8. Il démarre, submergé de pensées confuses, tortueuses, et manque d'écraser une femme qui promène son labrador.

La berline file le long des quais en direction de l'A-150. Le portable de Delphine, posé sur le siège passager, l'obnubile.

— Tu n'as rien à te reprocher, dit-il à haute voix, afin de mieux s'en convaincre. Rien…

Le quai du Havre est abandonné pour une petite rue du centre de Rouen. Après avoir grillé deux feux rouges et évité plusieurs véhicules, il pile à proximité d'un poste de police. Pendant un long moment, il observe le téléphone de Delphine et finit par le ranger dans l'une de ses poches. Il allume une cigarette, tire quelques bouffées d'une main tremblante et l'écrase dans le cendrier. Nathan ferme un instant ses yeux. Ses phalanges blanchissent sur le volant.

Il se lève, descend de voiture et avance vers le poste de police. En traversant la rue déserte, il se demande comment il va s'expliquer. Le visage victorieux et hilare de Wodelski le hante. Il n'a certainement aucun doute sur sa culpabilité et c'est la raison pour laquelle il faut le devancer, lui prouver qu'il a tort en ne cachant rien, en n'omettant aucun des détails qui pourraient le disculper, même si tous les éléments ou presque semblent le désigner comme le seul et unique responsable.

Quelques mètres à peine le séparent de l'entrée du commissariat. Soudain, une voiture banalisée tourne au coin de la rue et s'immobilise juste devant lui – deux flics vigoureux en civil en descendent. Le palpitant refait des siennes. Toutefois, au lieu de l'interpeller, comme il s'y attendait, ils ouvrent la portière arrière gauche et extraient un jeune mec vêtu d'un survêtement noir. Nathan le reconnaît – c'est l'un des compagnons du punk au crâne fracassé. Hugo. Le gosse croise le regard surpris de Nathan et le désigne aussitôt.

— C'est toi, enfoiré ! C'est toi qui as tué Hugo ! C'est ta faute ! Espèce de pourriture ! T'es un condé aussi, c'est ça ? Il se tourne alors vers les flics. Il est des vôtres, putain ! C'est ça, hein ! Enculé… Lâchez-moi, merde !

Atterré, Nathan reste silencieux. L'un des agents plisse des yeux, s'interroge, deux secondes, puis il incline brièvement la tête, infime geste d'excuse, vers le PDG avant de traîner le punk agitateur au poste.

De nouveau, Nathan hésite. Les yeux rivés sur les portes vitrées crasseuses, il observe le pote d'Hugo qui cherche à échapper aux policiers tout en hurlant dans sa direction. Un coup de frein brusque le fait se retourner. Un scooter pile. La visière du casque se relève sur le visage hagard de la copine d'Hugo. Elle reconnaît à son tour Nathan et se décompose. Il veut s'approche d'elle, mais elle démarre en trombe. Nathan fonce vers l'A8.

À bord de l'Audi, Nathan poursuit la jeune femme qui grille plusieurs feux rouges. Il slalome dans la circulation, se dit qu'il tient peut-être quelque chose de tangible. La jeune femme qu'il poursuit, et qu'il ne lâchera pas, est peut-être la clé de toute cette folie – qui sait ? Mais l'erreur survient quand elle se retourne – une fraction de seconde – pour estimer la distance qui la sépare de Nathan. Une camionnette lui coupe la route. Elle braque sèchement, dérape sur le côté, une pluie d'étincelles inonde la chaussée et le scooter finit sa course dans la portière d'une voiture en stationnement ; quant à elle, elle termine sa glissade dans les poubelles.

Le vacarme ne manque pas d'alerter le voisinage. Les habitants, guère intéressés par le sort d'éventuelles victimes, réclament simplement un peu de calme. Nathan se gare devant un porche et se précipite vers la gamine pour l'aider à se relever.

— Ça va aller ? lui demande-t-il.

Elle ouvre les yeux, égarée, et la panique reprend instantanément le dessus. Elle cherche à s'enfuir, mais Nathan l'agrippe par le bras. Elle geint, agressive.

— Lâche-moi, connard ! Au secours ! J'ai mal, merde !

— Écoutez-moi. Calmez-vous. Je ne vous veux aucun mal ! Je veux juste vous aider et...

— Qu'est-ce que tu as fait à Hugo ? Tu l'as tué, hein ! Putain de... !

— Je n'ai tué personne... Personne ! Ce n'est pas moi qui ai tué Hugo, vous comprenez ? Ce n'est pas moi !

La jeune femme est totalement désorientée. Elle réalise à cet instant qu'elle ne reverrait jamais Hugo.

— Il est mort, alors... Il est bien mort... murmure-t-elle d'une voix éraillée.

— Vous étiez là, non… Vous savez qui l'a tué ? Dites-moi qui l'a tué et je…

— Votre frère… Il a dit que c'était votre frère… Il l'a assommé… assommé et… Je croyais… Putain ! Elle plaque ses deux mains sur ses cheveux, cachant ses oreilles comme pour ne pas entendre. Comment c'est arrivé… ? Comment… ? C'est pas possible… pas possible.

Nathan secoue la tête, livide. Impossible de la croire. Elle doit être droguée. Une sirène résonne au loin. Nathan se retourne. Les gyrophares bleus de la voiture de police se déplacent à grande vitesse dans leur direction. Il ne la lâche qu'une seconde du regard, mais quand il pivote sur ses talons, la punkette est loin.

Le véhicule banalisé fonce, passe en trombe devant lui vers la jeune femme affolée. Soudain un coup de frein, les pneus crissent. Une camionnette percute la fuyarde de plein fouet alors qu'elle traverse la route.

Nathan n'en croit pas ses yeux. Il s'approche au milieu des badauds qui font déjà cercle autour de la victime. Une flaque de sang lui dessine une auréole macabre. Un policier se penche et constate le décès. Une chape de silence s'étend sur les témoins. Le visage sombre, la gorge nouée, Nathan recule lentement, puis s'enfonce dans une ruelle plus obscure.

23

Les jeunes femmes radieuses trinquent devant le comptoir de l'Underground. D'autres, acclamées par un public d'hommes de tous âges, dansent sur la petite piste au rythme du dernier tube de Rihanna. Dans un recoin sombre, la silhouette solitaire de Nathan se découpe, penchée sur un verre. Son whisky à peine ingurgité, il fait signe au barman de lui en servir un autre. Les images de toutes les victimes de son frère ont disparu de son esprit, remplacées par la vision d'un pic-vert. De son bec, il martèle le tronc d'arbre et le rythme lancinant résonne dans la tête de Bartel. Sous l'effet de l'alcool et de la fatigue, Nathan vacille sur son siège. Derrière le bar, un miroir lui renvoie son reflet qui se dédouble soudain, en même temps qu'apparaît le visage apeuré de la copine d'Hugo : « Ton frère... Il disait que c'était ton frère... »

Si tu es bien vivant Nathaniel, pourquoi… ? Pourquoi m'avoir laissé seul sur ton cercueil, le crâne en sang ? Tu n'étais pas censé me protéger ?

Il avale son whisky cul sec et s'attarde sur son reflet. Le bruit du pic-vert cesse. Le miroir est intact et renvoie l'image de la salle. Et au fond, Nathan repère soudain le visage impassible de Wodelski qui termine la deuxième des quatre pressions posées devant lui. Nathan se retourne vers le policier – il déteste son allure méfiante et son regard provocateur, véritable marque de fabrique de ce salopard. Il faut à nouveau lui faire face, lui montrer qu'il ne craint personne ! Il se redresse, chancelle, et s'approche de la table de son persécuteur.

— Vous m'avez suivi jusqu'ici, lieutenant Wodelski ?

— Je n'avais plus de chewing-gum… Nathan lève les sourcils, l'air interrogatif. Mais asseyez-vous donc, monsieur Bartel…

Bartel parcourt la salle du regard et tire une chaise devant Wodelski qui jette un coup d'œil vers la piste et les filles qui éclatent de rire en dansant.

— J'ai trouvé ce moyen pour m'empêcher de picoler, avoue le flic. Le chewing-gum est un remède efficace pour mon organisme. Il m'a souvent évité de me retrouver dans des situations plutôt embarrassantes.

— Vous auriez pu en acheter.

— Pas eu le temps. Ma journée a été bien remplie. Alors, ce soir, j'ai cédé à la tentation.

— Un flic qui boit, rien de plus banal, ironise Nathan.

— « Les flics sont des hommes comme les autres. Avec leur démon. Et parfois, le démon prend le dessus. » C'est pas Jack Nicholson qui disait ça dans un film… ? Je ne sais plus lequel. Vous avez une idée ?

Nathan secoue la tête, esquisse un sourire de dérision. C'est ça, fais nous ton cinéma maintenant, se dit-il.

— Et quel est donc ce terrible démon, lieutenant ? Celui qui vous ronge ?

L'air grave, Wodelski hésite. Il détourne son regard vers la piste de danse.

— La solitude… J'ai choisi un métier que peu de femmes peuvent supporter.

La sincérité du flic, sa détresse aussi, déroutent Nathan. Cet enfoiré aurait-il un cœur ?

— Je suis certain que vous trouverez le bonheur un jour.

— Mon bonheur, je le trouve dans mon boulot, dans le face-à-face avec tout ce que la terre compte d'ordures et de pervers.

À son tour, Nathan pivote vers la piste de danse. Il sentait que le flic allait encore l'embrouiller. Le type voit trop de polars. Il se prend pour Jack Nicholson. On n'est pas sorti de l'auberge.

— J'imagine qu'interpeller les assassins et les voleurs doit vous remplir de satisfaction.

— Détrompez-vous… Une fois le meurtrier arrêté, emprisonné, où est l'intérêt ? Tout est terminé… Il se penche alors vers Nathan, il le dévisage, le sonde de son regard pénétrant. Non, croyez-moi, c'est l'affrontement direct avec le criminel le plus excitant. À partir du moment où je sais qu'il est coupable, je prends mon pied. Je fais durer son calvaire, à cette ordure. Après tout, il mérite le même traitement que celui qu'il a administré à ses victimes. Pas vrai ?

Le cœur de Nathan s'emballe, une goutte de sueur perle sur sa tempe, mais il lui faut rester de marbre, impassible face aux attaques cauteleuses de Wodelski, alors qu'au même instant des flashs morbides l'assaillent.

— Vous m'avez bien l'air sûr de vous, lieutenant. Mais est-ce vraiment votre rôle de juger qui est coupable ou non ?

Wodelski affiche son mépris. Pour lui, manifestement, la question de Bartel frise le ridicule.

— J'ai un peu de métier vous savez, Monsieur Bartel. Un peu de métier… Je vais vous raconter. Quand j'étais tout gamin, j'ai assisté à un meurtre. Les coupables, des gens de « la haute », s'en sont tirés sans histoire. Comme c'est souvent le cas, vous ne l'ignorez pas, ce monde protège les nantis ! Ce n'est pas nouveau, mais voilà… J'ai décidé de devenir flic parce que je ne supportais pas l'injustice. Comme la plupart des collègues, j'imagine. Mais je me suis vite rendu compte que j'avais un sérieux problème à résoudre. Un problème que je devais résoudre, seul, à ma manière… Vous savez, la société ne l'avouera jamais, mais des personnes comme moi sont indispensables à son bon fonctionnement…

Wodelski sonde le regard impavide de Nathan, puis consulte sa montre : C'est l'heure !

Le flic se lève soudain, laisse un billet, le salut d'un bref mouvement de menton et se dirige vers la sortie.

Nathan s'interroge, pose les yeux sur les verres vides. Mais Wodelski tourne brusquement les talons et revient à la charge. Nathan sent son haleine alcoolisée.

— Une dernière chose, monsieur Bartel. Nathan, c'est ça ? Ou alors vous préférez peut-être que je vous appelle Toni ?

Nathan ne tressaille pas.

— Nous avons analysé les vidéos du Paradise Purple, continue le policier. Je vais être patient. Je vous accorde quelques jours pour profiter de votre femme et de vos enfants… Ce n'est pas un traitement de faveur, ça ? Vous comprenez maintenant, Nathan ou Toni, peu importe, quand je vous vois dans cet état lamentable, moi, je suis au paradis.

— Vous êtes un grand malade, lieutenant… rétorque Nathan.

— Moi ? Moi, je suis malade ?

Wodelski éclate de rire et disparaît dans la masse de clients agglutinés autour du Bar et sur la piste. Nathan n'ose pas bouger, soudain oppressé par la foule qui semble le narguer, comploter contre lui. Des visages se tournent, l'observent, le dévisagent et le sondent. Il lui faut sortir, s'échapper au plus vite de cet enfer – il se lève brusquement, bouscule quelques danseurs avant de se mettre à courir et de s'enfuir sous les insultes.

***

Le temps est suspendu. Sa vie, son avenir dans l'impasse. Surtout ne pas s'y engouffrer. Nathan contemple le vieux manoir. Ses murs dissimulent les plus effroyables secrets de famille. Il sort une enveloppe adressée à Céline, l'observe un instant et la range. Alors, il s'avance vers l'entrée.

Dans le hall, il croise l'œil vif de l'imperturbable Homère. Le chat noir se tient, comme à son habitude, sur la plus haute marche de l'escalier. Nathan approche de la porte du cellier et l'ouvre. Il allume. Il descend.

Dans le tiroir d'un meuble poussiéreux, Nathan récupère quelques mètres d'une vieille corde, avant de remonter. Dans l'entrée, il caresse Homère qui vient se frotter contre sa jambe et grimpe à l'étage, jusqu'à la chambre de sa mère.

Elle dort. Profondément. Il referme la porte sans un bruit. Il fait un nœud coulant et s'approche du lit. Il voudrait prendre la main d'Emma, mais s'abstient. Durant cinq bonnes minutes, Nathan l'observe dans son sommeil avant de tourner les talons et, toujours en silence, de sortir.

De retour dans le hall, Nathan lève les yeux vers le lourd lustre en bronze suspendu au plafond. Il lance la corde et laisse retomber le nœud. Il va alors chercher un tabouret dans la cuisine et revient l'installer.

Il attache la corde à la rampe, monte sur le tabouret et contemple le nœud coulant.

Nathan y glisse son cou.

Homère descend quelques marches et vient se poster devant le fils de sa maîtresse. Curieux, il regarde l'homme brisé, dont les jambes chancellent. Nathan déglutit. Bizarrement, la présence du chat l'embarrasse, le gêne. Le chat le toise sans broncher, assis sur son postérieur, attendant paisiblement que mort s'en suive.

Soudain, la porte d'entrée s'ouvre et le vent s'engouffre dans le manoir. Homère tourne la tête, se lève et se dirige vers la sortie.

— Homère, non... Reviens ! murmure Nathan.

Sa mère, le souvenir de sa mère le poursuit jusqu'au seuil du trépas. Sa mère qui, de sa voix aigrelette et sèche, lui répétait constamment : « N'oublie pas, Homère ne doit quitter la maison sous aucun prétexte. C'est entendu ? »

Nathan manque de basculer en arrière, mais se rattrape de justesse. Il retire la corde de son cou, saute du tabouret et se précipite dehors à la recherche du chat.

Rien devant le manoir. Nathan descend de la terrasse et appelle discrètement. Un faible miaulement lui répond. Nathan se fige pour écouter, pour deviner d'où il vient... de derrière, lui semble-t-il.

Il fait le tour du bâtiment et découvre une véritable décharge : pneus, planches vermoulues, un vieux lit à baldaquin ainsi qu'un berceau à deux places… Surpris, Nathan s'en approche et en caresse le bois. Un nouveau cri le rappelle à la réalité. Un instant, il distingue, les yeux éclatants du félin. Nathan se lance à ses trousses à travers branches, ronces et buissons. Il s'égratigne les mains, le visage, en tentant de récupérer Homère caché dans un bosquet. Le chat dédaigne même de grimper aux arbres. Soudain, il s'immobilise et s'assied, comme s'il voulait abréger les souffrances de l'être humain qui aurait pu se lasser. Il lui tourne le dos et remue la queue.

Nathan bondit sur l'animal qui lui échappe une fois de plus. Il se relève, s'époussette et aperçoit alors une sorte de cabane dissimulée entre les branchages. Homère vient de s'y introduire par la porte entrouverte. Nathan avance vers l'abri étrange et rudimentaire, situé aux confins du domaine.

Il remarque tout de suite que l'endroit a été habité. Récemment. La cuisinière à gaz semble en bon état. Des conserves s'entassent sur une étagère. Des casseroles sèchent sur un petit meuble en inox ; une bassine contient un fond d'eau. Homère ronronne couché sur un lit à une place, comme s'il attendait le propriétaire des lieux. Sur la table de chevet, un cadre et une lampe. Nathan s'approche, allume et observe le cliché. Nathaniel assis sur un vieux fauteuil, juste devant son refuge, porte le chat, encore bébé, dans ses bras. Nathaniel ne sourit pas. Qui a pu prendre cette photo ? se demande Nathan. Mère ? Peut-être simplement son frère jumeau, avec le retardateur.

Nathan repose la photo et explore la pièce à la recherche d'indices susceptibles de l'innocenter. Il fronce les sourcils – quelque chose ne va pas dans cette cabane, mais quoi ? Les fenêtres ! Toutes barricadées par des planches, comme si Nathaniel avait tenté de se protéger. Mais qui aurait pu souhaiter pénétrer dans ce minuscule abri sans aucune valeur ? Quelqu'un lui voulait-il du mal ? Ou bien, Nathaniel était-il complètement paranoïaque ?

En fouillant une armoire délabrée qui contient quelques vêtements masculins, Nathan trouve un couteau et un vieux revolver déchargé. Dans un tiroir, des photos de son père, jeune militaire, de sa mère et des jumeaux âgés de cinq ou six ans. Les deux frères habillés à l'identique ne sourient pas : petit manteau gris avec une écharpe bien nouée autour du cou, pantalon écossais et souliers blancs. Nathan range le portrait, prend le chat entre ses bras et s'assied sur la chaise en osier bancale.

— Merci Homère. Mais tu sais, Nathaniel ne reviendra pas. Tu n'as plus rien à faire ici mon petit.

Un grincement soudain. Un frisson traverse Nathan. La porte s'ouvre en grand et se referme brutalement. Effrayé, Homère bondit sur la table avant de disparaître sous le lit. La photo de Nathaniel et d'Homère tombe par terre. Le verre explose, le cadre se disloque et laisse apparaître une carte de visite. Un nom et un numéro de téléphone. Celui d'Annabella, la voyante.

Nathan prend son portable et regarde l'heure — deux heures dix. Il secoue la tête en soupirant. Impossible d'attendre ! Dieu seul savait où il serait au petit jour… sans doute derrière les barreaux !

Il compose le numéro. La sonnerie du téléphone résonne. Les battements de son cœur s'accélèrent. À la septième tonalité, quelqu'un décroche, sans répondre – un silence puis une forte respiration.

— Allô ! Qui est à l'appareil… ? Allô ?

— Bartel… Nathan Bartel…

Une longue pause, puis Annabella reprend, agacée : Vous avez vu l'heure ? Qu'est-ce que vous voulez ?

— Je suis désolé de vous appeler si tard, mais…

— Je ne dormais pas, de toute façon… Mes nuits ont toujours porté mon désespoir, Monsieur Bartel, vous savez !

— Je… J'aimerais vous voir au plus vite…

— Maintenant ?

— Oui, maintenant…

— Ça doit être urgent, dites-moi ! Vous non plus vous n'arrivez pas à dormir ?

— C'est un peu ça… C'est possible ? C'est vraiment important, vous savez ! Je suis…

— Mon téléphone, où l'avez-vous eu ? le coupe-t-elle. Je ne me souviens pas de vous l'avoir donné !

— Mon frère, dit-il après avoir hésité. Il avait votre carte de visite.

Le silence retombe. Annabella tousse à s'en arracher la gorge et poursuit : Square Jules Verne.

Elle raccroche, sans lui laisser le temps d'ajouter un mot. Il range son portable, se redresse et soulève le chat qu'il embrasse sur la tête.

— Merci encore pour ton aide, Homère.

24

Deux heures trente-six. Décomposé, Nathan s'efforce de reprendre pied. Comment affronter Wodelski ? Le sommeil alourdit ses paupières. Il s'en veut de n'avoir pas pris les devants quand il était encore temps. La jeune amie d'Hugo serait certainement en vie s'il ne l'avait poursuivie pour tenter de lui soutirer des explications sur cette nuit de cauchemar au cimetière. Une succession d'erreurs – de fautes – malencontreuses qui font maintenant de lui le coupable idéal.

Au bout du rouleau ! C'était son sentiment au moment où il avait décidé d'en finir. À présent, l'espoir renaît et un sourire plisse ses lèvres tandis qu'il réalise que son destin a sans doute bifurqué. Grâce au chat, bien sûr, mais également à cause des désirs obsessionnels et inflexibles d'une mère – SA mère.

Son esprit vagabonde, mais en arrivant à proximité du square Jules Verne, il se concentre soudain et freine sèchement. La brume s'accroche au camping-car de la voyante que les guirlandes multicolores entourent d'un halo surnaturel. Les paroles de la vieille illuminée lui reviennent aussitôt en mémoire : « Les lignes de la main, mon beau Nathan ? Je peux vous apprendre beaucoup de choses. » Nathan gamberge un moment, les yeux rivés sur la camionnette.

Il réfléchit à haute voix, toujours assis : Qu'es-tu donc allé faire chez elle, Nathaniel ? Tu ne croyais pas ce genre de stupidités ? Nathan secoue la tête et continue de marmonner. Après tout, Nat… Tu n'es peut-être pas ici par hasard.

Il tourne le volant et se range le long du trottoir opposé. Le contact coupé, les phares de l'Audi s'éteignent. Nathan remarque soudain une silhouette en ombre chinoise, debout derrière les rideaux rouges tirés. Immobile, comme si elle avait senti sa présence.

Les nerfs à vif, il descend de voiture et entreprend de traverser quand un rire féminin, puis les pleurs d'un enfant résonnent dans les fourrés… Il se fige et aperçoit la forme d'un homme qui se balance sous un arbre, pendu.

Klaxon rageur, coup de frein, crissement de pneus. La vitre côté conducteur s'abaisse et Nathan se fait copieusement insulter. Il vient de frôler la mort et ne s'est rendu compte de rien. Il détourne les yeux, une fraction de seconde vers la voiture qui s'éloigne. Quand il regarde de nouveau vers le bois, le pendu a disparu.

Sur le trottoir, il s'arrête et observe la silhouette de la voyante qui se découpe en contre-jour. Elle porte une bouilloire qu'elle incline. Elle lève une tasse et tire soudain le rideau. Les yeux perçants d'Annabella le fixent un moment qui lui paraît une éternité – un frisson le traverse. Alors, il s'approche de la porte et frappe avec autant de conviction que d'anxiété. Une voix rauque lui répond.

— C'est ouvert !

Il hésite, scrute une nouvelle fois la nuit et les arbres agités par le vent léger et finit par monter.

La gitane lui tourne le dos. Il l'examine avec une sorte de répulsion. Il n'a qu'une envie, déguerpir au plus vite. A-t-il un pressentiment, peur d'apprendre une vérité qui achèverait de le détruire ? Quels sont ses choix ? Si son côté cartésien l'immunise contre ces foutaises, il reste persuadé qu'il n'est pas là par hasard. Annabella se retourne tout à coup, avec une vivacité surprenante, une tasse entre les mains.

— Vous prendrez bien une petite tisane, Nathan ?

Il secoue la tête. Elle le dévisage avant d'esquisser un sourire.

— Ou un alcool, peut-être !

Il refuse de nouveau et de guerre lasse, elle va s'asseoir derrière la table ronde, au fond du camping-car. Elle lui fit signe, boit une gorgée, tousse et crache dans un vieux mouchoir en dentelles.

— Alors, vous vous êtes enfin décidé, mon beau Monsieur. Vous voulez savoir, n'est-ce pas ? Approchez, approchez…

— Il faut que vous sachiez une chose, Madame. Je ne crois pas une seconde à tous vos artifices.

Un sourire creuse le visage d'Annabella qui, sans se démonter, sort une boule de cristal noire et la pose devant elle.

— Si vous n'y croyez pas, que faites-vous ici ?

De nouveau, un sentiment de panique. Il cherche la porte du regard, il voudrait fuir, mais se ravise et s'assied à contrecœur devant la voyante. Il balbutie.

— Prenez votre temps. Je n'ai pas d'autre rendez-vous, cette nuit ! s'exclame-t-elle en pouffant. Elle expectore.

— Vous m'avez suivi. Je peux savoir pourquoi ?

— Évidemment ! Elle éclate de rire. Je vous ai suivi sur mes pauvres vieilles jambes.

Nathan perd pied. Il ne sait comment aborder le sujet et se perd un instant dans ses réflexions.

— D'accord. Voyons les choses autrement. Vous avez déjà rencontré mon frère jumeau, Nathaniel, n'est-ce pas ?

— Je n'en ai aucun souvenir, répond-elle spontanément.

— Mais il avait votre carte de visite et…

— Qu'est-ce que vous croyez ? J'en distribue tous les jours. En ville et dans les alentours, c'est tout !

Il dévisage la vieille. Il la sonde. Pendant quelques secondes, il a le sentiment qu'elle ment. Mais comment lui faire avouer ? Et, après tout, ses confessions auraient-elles changé quelque chose ? Il met provisoirement ce mystère de côté.

— Bien. Il tergiverse confondu par l'incongruité de ce qu'il va dire, mais il finit par lui demander d'une seule traite : J'ai besoin de savoir quelque chose d'important… sur mon passé.

— Enfin un peu de considération ! Quoique, en général, les gens préfèrent connaître leur avenir. — Mon avenir, s'il m'en reste un, est lié de près à ce qui s'est produit dans ma vie, il y a très longtemps… C'est ce que je ressens ces derniers… J'ai cette impression… désagréable et…

— Je sais…

Nathan l'interroge du regard, mais elle demeure un moment silencieuse.

— Ce sera 500€. Pour cette première séance. La vérité le vaut bien, non ?

— Qui me dit que j'aurai la vérité ?

— Au plus profond de mes yeux, vous le saurez…

Suspicieux, perplexe, Nathan se décide néanmoins à retirer 500 € de son portefeuille. Annabella sourit en escamotant les billets, les glisses dans une petite boîte à gâteaux métallique qu'elle range avec précaution derrière elle.

La lumière faiblit bizarrement au moment où les mains de la vieille femme effleurent la boule noire. Malgré ses traits tirés, Nathan affiche l'expression de celui qui n'est pas dupe. D'abord les yeux fermés, la gitane se concentre, la souffrance se lit sur son visage et ses doigts tremblent en caressant la boule obscure sur toute sa surface, mais soudain, ses paupières s'ouvrent et dévoilent son regard, limpide et profond, qui se pose avec une intensité saisissante sur Nathan.

— Une maison ancienne, familiale... halète-t-elle d'une voix caverneuse. Elle a été le lieu de vos tourments... Une jeune femme... Deux beaux enfants... Jumeaux... Est-ce bien le Nathaniel dont vous parliez ? Nathan Bartel, vous êtes lié de très près à votre frère jumeau... Depuis toujours...

Nathan s'efforce de ne montrer aucune émotion. Ses yeux papillonnent, s'attardent sur les bibelots rangés sur une étagère : un christ sur une croix en métal jaunie par le temps. De bougies, des mèches de cheveux, une poupée en tissus rose et bleu d'un autre âge ; Un paquet de chewing-gum sur un meuble. La vieille gitane continue de sonder son client à travers ses yeux, miroirs de l'âme, miroirs de son passé. Elle s'impatiente, s'énerve, s'agace.

— Ne quittez pas mon regard, surtout pas ! Je vois… une belle jeune femme… très jeune… Elle pourrait être la cause de…

— Une domestique ? l'interroge soudain Nathan.

— Ne m'interrompez pas ! Écoutez-moi. Il est arrivé quelque chose. Je vois… Je vois cette jeune femme… dans une brouette. Ses cheveux rougis, maculés de sang. Une jeune femme sans vie. La pauvre. Ce n'était qu'une enfant… Juste une enfant…

Nathan la fuit du regard. Il examine l'étagère, les flammèches chancelantes des bougies, la poupée de tissu, le christ qui semble à présent le fixer, puis il attrape le paquet de chewing-gum, le fait tourner nerveusement dans sa main et pose de nouveau ses yeux dans les yeux d'Annabella. Il la défie.

— Qu'est-ce que vous racontez ?

— Les jumeaux, rétorque-t-elle avec un rictus. Ils poussent la fille dans la rivière…

— Taisez-vous ! s'exclame Nathan.

Annabella convulse presque. Elle paraît possédée. Des larmes coulent sur ses joues tavelées. Nathan la dévisage, interdit.

— Qu'avez-vous fait, Nathan ? Quels monstres êtes-vous, vous et votre frère ?

— Je ne suis pas responsable ! s'égosille Nathan, aussi consterné que surpris par les accusations de la voyante.

— Vous l'avez tuée, Nathan, c'est ça ? Vous et votre frère, vous avez tué cette jeune fille innocente ! Avouez-le ! Avouez !

Nathan se lève d'un bond et recule en chancelant.

— Pourquoi ? Pourquoi aurais-je fait une chose pareille ?

— Parce que vous avez ça dans la peau, Nathan ! Vous et votre frère, vous avez ça dans la peau !

Des images jaillissent, envahissent la conscience de Nathan.

Emma tricote un pull rouge dans un fauteuil à bascule, devant un feu de cheminée. Elle se retourne et tend la main. L'un des jumeaux, âgé de huit ans, à moitié endormi, vêtu de son pyjama, la saisit.

Une horloge ancienne sonne les douze coups de minuit.

La jeune femme cajole son enfant sur ses genoux. Elle le couvre du chandail. Elle joue avec lui.

— C'est faux… C'est faux… balbutie Nathan, mais un doute horrible l'étreint.

— Avouez vos crimes ! Soulagez donc votre conscience, Nathan !

— Elle a essayé de… Il gémit, éploré. Elle me voulait du mal… C'est elle…

— Agnès ! Agnès vous voulait du mal ? Mais comment osez-vous dire ça ? Comment ?

— Non… Non ! Pas Agnès… C'est elle…

— Qui ?

D'autres images, plus claires, plus intenses, surgissent devant les yeux de Nathan.

Dans les bras de sa mère, Nathan, vêtu du pull rouge. Soudain, elle l'embrasse sur la bouche.

— Mère…

Le regard de Nathan s'égare dans le vide. Il tâtonne, titube, se pose sur le bord d'un canapé. Annabella écarte la boule de ses deux mains. La lumière devient plus vive. Visiblement choquée, elle tremble de tous ses membres.

— Votre mère… C'est elle qui a tué Agnès.

Nathan relève la tête, retrouve un semblant de dignité.

— Qu'est-ce que vous racontez ? Vous délirez ! Je n'ai jamais dit…

Mais soudain, il réalise. Il réalise qu'il n'a jamais évoqué cette histoire.

— Comment avez-vous pu savoir ? Et le nom d'Agnès et… Nathan bondit, avance vers elle, menaçant. Vous m'avez piégé. Ce n'est pas votre boule de cristal qui vous a révélé tout ça ! Vous vouliez me forcer à avouer, hein ! Vous n'avez jamais été ce que vous prétendez être ! Qui êtes-vous… ? Que me voulez-vous ?

D'un geste vif, Annabella ouvre le tiroir de la table ronde et brandit un petit couteau en direction de Nathan.

— Sortez ! Ne revenez jamais… Sortez ou j'appelle la police ! Je comprends votre père, confesse Annabella dans un soupir.

Nathan s'enfuit.

Le souffle court, nerveuse, Annabella verrouille sa porte. Elle vacille en approchant de la fenêtre et observe Nathan qui retourne vers sa voiture. Effondrée, Annabella pose son arme et prend son portable. Elle appuie sur une touche. S'impatiente.

— Il est venu… J'ai appris une chose… inimaginable !

Au volant de l'Audi, Nathan démarre en trombe, hanté par de nouvelles images.

Les traits durs d'un homme proche de la quarantaine, la corde autour du cou. L'arbre penché révèle son visage – celui qui s'affiche au-dessus de la cheminée dans la cuisine du manoir.

Nathan écrase la pédale de frein. Hagard, les yeux gonflés, il sort son mobile et se connecte sur Google. Il tape Alain Bartel. Sur l'écran apparaît la photo d'un homme, la trentaine, qui ressemble à Nathan. Il parcourt des documents d'époque et tombe sur la une de « France-Soir » :

« Le PDG du groupe Bartel Elect, fabriquant de téléviseurs et d'appareils ménagers, Alain Bartel (38 ans) se serait donné la mort dans la journée de dimanche 28 mai à son domicile de la Roseraie. Les circonstances de cette disparition demeurent imprécises. Le jeune chef d'entreprise n'a pas laissé d'explications, mais la Bartel Elect qui traversait une restructuration difficile… »

Nathan soupire et coupe son portable. Plongé au plus profond de ses pensées, il regarde son rétroviseur intérieur dans lequel il distingue encore les lumières vaporeuses du camping-car d'Annabella.

Nathan met le contact, embraie et démarre au cœur de la brume.

25

Pleins-phares, la voiture passe le portail de « La Roseraie ». La brume épaisse recouvre le manoir plongé dans l'obscurité. Nathan descend de son A8, lève la tête vers la chambre de sa mère et se dirige vers le petit escalier de la terrasse.

Il entre dans le hall silencieux et clôt la porte derrière lui. Assis en haut des marches, Homère le toise de ses yeux brillants. Il s'éponge le front à l'aide d'un mouchoir et grimpe sans bruit. Sur le palier, il se penche et caresse le félin, puis emprunte le couloir au parquet grinçant et passe devant la chambre de son enfance – un rire bref s'en échappe. Il ouvre la porte à la volée – Rien. Il explore la pièce du regard – rien n'a changé, comme si le temps s'était figé… Il recule, referme en douceur et continue, circonspect, jusqu'à la chambre d'Emma. Il y entre.

Une silhouette immobile au centre du lit à baldaquin. Pendant quelques secondes, il la croit morte – et puis, elle geint dans son sommeil. Il s'approche, passe devant le grand miroir posé sur la cheminée qui lui renvoie, l'espace d'un battement de cœur, et sans qu'il s'en doute, le reflet de sa jeunesse.

Il avance une chaise et s'y assied pour contempler le visage de sa mère. Sa main glisse du drap. Il tend la sienne pour l'attraper délicatement. Emma ouvre les yeux. Un sentiment étrange, mêlé de joie et de crainte, saisit Nathan. Emma allume à tâtons sa lampe de chevet.

— Nat… Tu es revenu ?

— Nathaniel vivait dans cette cabane au fond du bois, hein ! Pourquoi ?

Emma secoue la tête, désespérée. Elle cherche ses mots.

— Il disait ne pas vouloir croiser ton chemin. Il voulait aussi protéger sa mère, tu sais…

— Te protéger de qui ? De quoi ?

Elle le considère sans répondre, dissimulant ses émotions sous son masque de vieille dame indomptable.

— Qu'avez-vous fait, Mère ? l'interroge alors Nathan, les yeux embués et l'air grave.

Elle dévisage son fils. Une sourde inquiétude la traverse. Elle esquisse un sourire, cherche à dissiper la tension.

— Qu'est-ce que tu racontes, mon chéri ? De quoi parles-tu ?

— Pourquoi s'est-il pendu ?

Emma devient plus austère. Elle se redresse avec peine et remonte un oreiller contre la tête de lit.

— Pourquoi vouloir remuer ces vieilles histoires ? Le passé est le passé et…

— J'ai besoin de le savoir, Mère. Maintenant.

— Mais, tu le sais… Elle hésite un instant, puis, devant l'absence de réaction de Nathan, elle reprend. À cette époque, ton père avait de graves problèmes avec sa société. Il n'a jamais pu se résoudre à accepter cet échec. Il n'a pas eu ce courage et…

— C'est un mensonge ! Encore un mensonge. L'entreprise de papa aurait pu être redressée… Alors pourquoi ?

— Comment oses-tu ? Me traiter de menteuse ! Je suis ta mère et je ne te permets pas de…

— Je veux simplement savoir pourquoi il est mort !

Emma encaisse sans broncher les imprécations de son fils : Ton frère avait raison, tu es dangereux. Si tu savais tout ce qu'il a fait pour toi !

— Je veux tout savoir, Mère. Tout.

— Non, tu ne le veux pas ! Tu ne le supporterais pas.

— Je ne parle pas seulement de votre comportement incestueux durant toutes ces années…

— Je ne te permets pas ! Indignée, Emma écarquille les yeux.

— Oui, Mère, reprend Nathan, je me souviens, à présent… Je me souviens… C'est pour cette raison que Nathaniel vous a poussée dans l'escalier, n'est-ce pas ?

La jeune Emma tombe. Nathaniel se tient en haut des marches, accroché à la rampe, contrarié d'avoir eu ce geste malheureux envers sa propre mère... Au rez-de-chaussée, Nathan et son père s'offusquent.

« Nat ! Qu'est-ce que tu as fait ? », hurle leur père, Alain, en se précipitant vers sa femme qui gît recroquevillée au pied de l'escalier.

Ce souvenir bouleverse Nathan, comme s'il revivait la scène. Il cherche la main de sa mère qui la cache sous les draps.

Il ne peut plus se permettre de capituler face à elle. Il profite du moment, de ce bref instant de supériorité.

— Pourquoi accusiez-vous Nathaniel d'avoir tué Diane ? Votre propre fils ?

— Que voulais-tu que je fasse ? sanglote-t-elle. Que je dénonce le seul fils qu'il me reste ?

Nathan l'interroge du regard. Il soupire. Il comprend sur quel terrain, glissant, sa mère s'efforce de l'attirer.

— J'ai bien vu le corps de mon fils à la morgue, reprend Emma. Dans un bien triste état… Nathaniel, mon petit Nathaniel…

— Il n'est plus dans son cercueil, Mère. Il n'y est plus. Je ne sais pas s'il y a été depuis le jour de son enterrement et…

— Qu'est-ce que tu racontes ? Tu es fou ! Qu'as-tu fait ? La terreur déforme soudain son visage. Elle se redresse. Elle cherche à s'éloigner. Nat… Tu as profané la tombe de ton frère ? Ne me dis pas que tu as fait ça !

Nathan s'en veut de voir sa mère ainsi pétrifiée par la peur, mais il sait aussi qu'il ne peut plus faire marche arrière. Il doit connaître la vérité. Il doit sauver sa peau et empêcher ce salopard de flic de ruiner sa carrière et de détruire sa famille. Il le faut – coûte que coûte.

— Quelqu'un me veut du mal. Peut-être est-ce Nathaniel. Je l'ignore. En revanche, je sais que vous m'avez caché des événements terribles. Depuis si longtemps ! Des événements qui pourraient m'aider à comprendre ce qui arrive… Parlez-moi, Mère, je vous en prie… J'ai le droit de savoir !

Emma reste prostrée dans le silence. Au bord du gouffre, Nathan se lève, arpente la pièce, passe devant le miroir. Il s'arrête brusquement. Dans la pénombre, il ressemble à un vieillard. Il se met à paniquer et se retourne vers Emma. Hors de lui, il se précipite sur elle et l'empoigne, l'étrangle de ses mains puissantes.

— Je dois savoir ! Dites-moi donc la vérité, Mère ! Parlez-moi ! Bon sang… !

Emma choquée, les yeux révulsés par la terreur, parvient à poser les mains sur les joues de son fils.

— Ton frère… Il te protégeait… Il ne t'a pas seulement protégé de moi, mais également de tous ces crimes… Tous ces crimes horribles que tu as commis, Nathan… Il te protégeait de toi-même !

Nathan lâche sa mère, recule, se couvre les oreilles, mais Emma continue. Je suis désolée. Désolée, mon fils chéri. Je t'aime. Je ne voulais pas te le dire… Je ne voulais pas… Si tu savais comme je m'en veux, mon chéri. Si tu savais… Qu'est-ce que j'ai fait, mon Dieu, qu'est-ce que j'ai fait… ?

Le souffle coupé, Nathan titube. Sa tête lui tourne et il s'accroche à la chaise.

— Je n'ai tué personne… Personne…

— Cette jeune fille, Agnès. C'était toi, Nathan… Pas ton frère. Il m'a tout raconté. Comment il a effacé les traces. Comment il a pensé jeter son corps dans la rivière pour faire croire à un accident. Il se sentait aussi coupable que toi, tu sais. Aussi coupable que toi…

— Mais, Agnès… Agnès, c'était un accident. Je ne voulais pas ! Elle m'a touché et… Je ne voulais pas que ça se passe comme ça.

Nathan ne veut pas y croire. Pourtant, il semble s'y résigner.

— Comment est-ce possible ? Tous ces meurtres ! Ces choses horribles… Comment ai-je pu faire une chose pareille ? Je n'en ai aucun souvenir. Aucun !

— Nathaniel avait compris. Et il me racontait. À chacun de tes crimes, tu perdais connaissance. Tu n'avais pas conscience de tes actes. Tu ne te souvenais de rien… Tu ne t'es jamais souvenu. Depuis ce jour, j'ai décidé, avec Nathaniel, que tu ne saurais jamais… Tu n'as jamais été responsable de ces actes, mon petit. Tu es malade. Ce n'est pas ta faute. Tu es malade…

Nathan s'agrippe à la chaise. La chambre de sa mère tourne tout autour de lui, il désespère de pouvoir échapper à cette folie.

— Mais comment, Mère ? Pourquoi ?

— Je t'aime, mon petit. Je ne pouvais pas supporter cette idée. Voir mon fils emprisonné. Comme un vulgaire criminel. Je ne pouvais pas laisser faire ça.

Nathan s'effondre sur le siège. Il plonge la tête entre ses mains, abattu par ces révélations. Alors le souvenir de cette terrible journée lui revient en mémoire.

Agnès, la jeune domestique de dix-huit ans aux longs cheveux noirs chantonne en rangeant la chambre. Elle regarde un instant par la fenêtre ; dans l'allée, une femme et un enfant de huit ans lui disent au revoir en sortant du domaine. Elle leur fait signe à son tour.

— À tout à l'heure, mon p'tit Franck ! lance la jeune fille qui respire la joie de vivre et le bonheur.

Nathan entre à ce moment-là et la dévisage avec un sourire énigmatique.

— C'est qui, Agnès ?

— C'est mon p'tit Franck adoré ! s'exclame-t-elle en adressant un clin d'œil à Nathan.

Agnès lui prend le menton dans le creux de sa main et, la mine bougonne, considère la tenue débraillée de Nathan.

— Dis Nathan, viens me voir ici...

Mais Nathan ne bouge pas, déjà occupé à feuilleter un livre de la bibliothèque. Agnès s'approche, se baisse pour le rhabiller, lui sourit de ses grands yeux sombres et pétillants. Impressionné par le regard pénétrant de la jeune fille, il ressent soudain un curieux malaise. Il prend peur et la repousse brusquement.

Le crâne d'Agnès heurte le coin d'un meuble.

Plus tard, Nathaniel entrera dans la chambre et découvrira son frère inanimé ainsi que le corps sans vie d'Agnès...

Nathan redresse la tête. Son visage s'éclaire. Guidé par son intuition, il se lève d'un bond et traverse la pièce sans se retourner.

— Nathan ? Où vas-tu ? Reviens… Reviens ici ! Les paroles d'Emma s'étranglent dans un sanglot.

26

Nathan se précipite vers son Audi et quitte la propriété sur les chapeaux de roues.

Déterminé, il reste concentré sur la quatre-voies déserte. Il n'entend pas les coups de klaxon rageurs qui ponctuent ses queues de poisson. Les pneus crissent à la sortie de la route principale qui rejoint une départementale, il évite de justesse le choc avec une voiture qui arrive en sens inverse.

***

Sur la petite route de campagne menant au manoir, le camping-car d'Annabella roule au pas. Il franchit la grille ouverte et s'arrête devant l'escalier de l'ancienne demeure.

La mâchoire crispée, l'air résolu, Annabella coupe le contact. Elle fouille dans la boîte à gants et s'empare d'un long couteau de boucher.

Elle quitte le véhicule sans le fermer, et se dirige vers l'entrée de la maison.

Les marches de la terrasse craquent sous le pas lourd de la voyante qui se poste alors devant la porte. Sa main gauche se pose sur la poignée, la tourne – c'est ouvert. Annabella esquisse un sourire grimaçant.

— J'arrive, vieille folle…

***

L'Audi A8 freine sèchement devant la grille du cimetière. Nathan s'empare d'une lampe torche, descend de voiture. Il en fait le tour et récupère le pied-de-biche dans le coffre qu'il referme discrètement. Devant l'entrée du lieu saint, son regard circulaire tente de percer l'obscurité brumeuse. Dans les secondes qui suivent son outil brise la chaîne.

Nathan avance entre les allées. Il éclaire chaque tombe, vérifie chaque nom.

***

Homère se hérisse à la vue de l'intruse. Annabella brandit son arme d'une main ferme. Le chat noir siffle et crache avant de détaler dans le couloir de l'étage. Elle entend le bruit du verre qui se brise contre le sol. Soudain, la voix faible d'Emma s'élève.

— C'est toi, Nat ?

Annabella lève les yeux et avance jusqu'au pied de l'escalier.

***

Le souffle court, Nathan poursuit ses recherches. Il arrive devant la sépulture de son frère et l'observe un instant.

— Tu n'es pas venu pour ça, Nat… marmonne-t-il, fébrile.

Il reprend sa traque fastidieuse et s'arrête brusquement devant une tombe. Nathan n'en croit pas ses yeux.

— Non…

***

Couteau à la main, essoufflée, Annabella parvient enfin à l'étage. Aux pieds d'une table, elle remarque les tessons d'un vase brisé. La voix inquiète d'Emma se fait à nouveau entendre.

— C'est toi, mon petit Nat ? Qu'est-ce que tu fais ? Nat !

Annabella arrive devant la chambre d'Emma. Elle appuie lentement sur la poignée.

Dans son fauteuil, près de la cheminée, Emma assise, terrifiée, voit la porte s'ouvrir devant elle. Elle sait qu'il ne s'agit pas de Nat. Mais elle ne s'attend pas à affronter la vision d'une vieille gitane, armée d'un couteau de boucher. Emma égrène machinalement la chaînette de son crucifix. Annabella referme derrière elle, sans jamais quitter Emma des yeux.

— Qui êtes-vous ? Que voulez-vous ?

Annabella lève son poignard, son visage reflète toute la haine accumulée depuis tant d'années.

— Je suis venue tuer un monstre…

***

L'A8 fonce en direction du manoir, slalome sur la quatre-voies. Nathan, tourmenté, essuie la sueur qui lui coule dans les yeux d'un revers de manche, marmonnant entre ses lèvres des paroles insaisissables.

***

Dans la pénombre de sa chambre, Emma glisse sa main en direction du tisonnier. Les larmes aux yeux, Annabella s'approche.

— Vous avez tué ma petite Agnès, rugit Annabella.

— Je ne vois pas de quoi vous voulez parler. Qui êtes-vous ?

— Taisez-vous ! Nathan m'a tout dit… Vous allez payer pour votre crime ! Et c'est moi qui vais rendre justice… Tant d'années de souffrance à cause de vous…

***

Malgré le brouillard toujours aussi dense, la voiture de Nathan roule à fond sur la petite départementale.

Pendant une fraction de seconde, une trouée dégage l'horizon et Nathan distingue au loin le manoir illuminé par le reflet de la lune. Mais quand son regard se pose de nouveau devant lui, il aperçoit trop tard le cerf majestueux qui traverse. Il braque, l'évite de peu, mais perd le contrôle de l'Audi qui sort de la route, exécute quelques tonneaux et finit dans un champ de blé.

***

Emma tient de toutes ses forces le tisonnier qu'elle dissimule au mieux derrière l'accoudoir du fauteuil. Annabella s'approche toujours, la main crispée sur le manche du couteau, les phalanges blanchies.

— Vous êtes folle ! Complètement folle, glapit Emma. Je n'ai commis aucun crime, aucun crime ! Je n'ai fait que défendre ma famille.

— Vous avez souillé votre famille ! Vous avez fait de vos enfants vos complices du meurtre de ma petite Agnès ! Vous êtes un être infâme.

Emma serre le tisonnier. Annabella continue d'avancer.

— Sortez de chez moi ! hurle Emma…

***

L'Audi A8 gît, retournée sur le toit. Une cicatrice d'une trentaine de mètres larde le champ de blé dans son sillage. Le moteur de la voiture laisse échapper une fumée noire qui se mêle à la brume dans un silence de mort.

Nathan repose immobile, coincé entre les airbags. Du sang coule de son cuir chevelu jusque dans ses yeux qui clignent soudain. Nathan bouge, essaie de s'extraire d'abord des coussins, puis du véhicule. L'adrénaline irrigue son corps, il n'a pas mal. Il sort tant bien que mal de l'habitacle, s'éponge le front, et sans un regard vers l'Audi se met à courir en direction du manoir, à travers champ.

***

Annabella se rapproche dangereusement. Elle brandit son couteau quand le tisonnier, surgi de nulle part, l'atteint au bras. L'arme de la gitane tombe par terre. Avec un hurlement de douleur, elle se baisse pour la récupérer lorsqu'Emma lui assène un nouveau coup sur le crâne.

La voyante s'effondre, tente de se relever, titube, le visage ensanglanté. Annabella bondit sur Emma qu'elle étrangle de toutes ses forces. Les deux femmes roulent sur le sol, cherchent à s'emparer du couteau, luttent avec l'énergie du désespoir, chacune pour sauver sa peau.

***

Nathan s'accroche à la grille du manoir, hors d'haleine. Il repère le camping-car d'Annabella garé devant la maison et d'instinct lève les yeux vers la chambre de sa mère à peine éclairée. Tout à coup, il entend des cris étouffés, les bruits d'une lutte. Il reprend sa course et se précipite à l'intérieur de la demeure.

Nathan ouvre la porte, traverse le hall et grimpe quatre à quatre l'escalier. À l'étage, dans le couloir obscur, Homère, affolé, déboule soudain entre les jambes de son maître qui s'écroule par terre.

27

Il reprend connaissance dans un silence morbide. Animé par un mauvais pressentiment, il se relève et s'approche de la chambre d'Emma. Il entrebâille la porte et entre.

Sur le parquet, le corps d'Annabella recouvre en partie celui de sa mère. Aucune des deux femmes ne bouge. Il avance, repousse la voyante inerte et s'agenouille devant Emma.

Avec un haut-le-cœur, il remarque le crucifix ensanglanté enroulé entre les doigts de sa mère. Il se sent mal, comme happé par le néant, il va perdre connaissance. Il se redresse et titube vers le miroir. Le sang se mêle aux larmes sur son visage hagard.

— Regarde la vérité en face ! Bon sang !

Nathan essaie de reprendre pied, de se calmer. Il respire lentement à pleins poumons, s'efforce de faire le vide en lui. Il se retourne et retente une approche. Étrangement, cette fois, il se sent comme libéré et son esprit se met à vagabonder vers de lointains souvenirs…

Un faisceau lumineux frappe la fenêtre. Des phares. Dans la nuit, un homme sort du véhicule, une sorte de longue matraque à la main.

Toujours penché sur le corps de sa mère, Nathan ne se rend pas compte que l'intrus est monté et qu'il l'observe depuis le seuil de la chambre. La porte grince.

— Qu'est-ce que tu fais là ? demande Nathan à la fois surpris et soulagé en se retournant vers l'entrée.

— Qu'est-ce que tu as fait à ma Caroline, hein ?

Le visage ravagé, Fred s'approche de Nathan qui se relève lentement, très lentement, les mains ouvertes, les paumes tendues vers son ami.

— Putain de salopard ! Je vais te régler ton compte…

— Non… Fred… Arrête ! Regarde, bon sang ! Ma mère est morte. C'est cette femme qui est responsable de tout…

Mais Fred lève sa batte de baseball et l'abat sur Nathan qui l'évite de justesse.

— Arrête, Fred ! Tu te trompes ! Laisse-moi t'expliquer !

Cette fois, le coup touche Nathan au ventre. Plié en deux par la douleur, il entend à peine les imprécations de Fred.

— Je vais te tuer ! Dis-moi où elle est !

Fred brandit l'arme au-dessus de sa tête.

— Lâchez ça ! Tout de suite ! ordonne soudain une voix dans le couloir. Une voix. Celle de Wodelski qui, revolver au poing, entre à son tour dans la chambre. Le flic s'agenouille devant les deux femmes tout en gardant Fred en joue. De sa main libre, Wodelski se signe.

— Il a tué Caroline ! gémit Fred, hargneux. Ce salaud a tué ma Caroline ! J'en suis sûr !

— Ce n'est pas moi, Fred. Écoute-moi. Ne dis plus rien, sinon tu vas le regretter…

— Quoi ! Tu me menaces, maintenant ? Espèce de fils de…

— Fermez-la, tous les deux ! intervient Wodelski.

— Mais vous tenez votre homme, lieutenant, insiste Fred. Écoutez, j'ai fait ce qu'il fallait… Je vais vous dire, hein ! Ma Caroline, elle n'avait pas pris son téléphone portable ce soir-là. Mais j'ai réussi à retrouver les coordonnées GPS de sa voiture en faisant quelques manips, et ça m'a mené jusqu'ici. Vous comprenez ?

— Fred… Tais-toi, je t'en prie… le supplie Nathan.

— Laisse-moi parler, espèce de salopard… Les coordonnées m'ont aussi révélé le dernier endroit où la voiture de Caroline s'est arrêtée. J'y suis allé et j'ai trouvé la carcasse calcinée, dans un bois, mais pas de trace de ma… Fred en perd la voix sous l'émotion. Il reprend vite son souffle. Ça… ça ne peut être que lui. J'en suis sûr maintenant ! Il s'interrompt soudain et se tourne vers Nathan qui, le visage blafard, se tient les côtes. Elle parlait tout le temps de toi ! Tu as tout fait pour la séduire ma Caro, hein ! Pourquoi tu m'as fait ça ? Pourquoi ?

— Bon boulot, monsieur Cassel, le félicite Wodelski qui se relève. Bravo.

— Alors vous attendez quoi pour pointer votre putain de flingue sur lui ? Vous vous trompez de cible. Je n'ai rien à voir avec ce…

Un éclair. Une longue flamme qui jaillit du 38. Et puis le coup de feu qui claque et résonne. Fred s'effondre, une expression de surprise au fond de ses yeux révulsés, une balle fichée en pleine tête. Nathan étouffe un cri.

— Je ne me trompe jamais de cible.

— Espèce d'ordure ! Nathan titube vers le flic, qui le couche immédiatement en joue. Je savais que c'était vous, Wodelski… J'ai trouvé la tombe de votre sœur au cimetière. Agnès. Vous êtes le frère d'Agnès ! Le fils d'Annabella. Franck Wodelski… Pourquoi, Fred ? Pourquoi vous l'avez tué ?

Wodelski détourne un instant les yeux pour les river sur le cadavre de sa mère et, machinalement, il relève le chien de son revolver.

Nathan recule, cherche une issue, une échappatoire.

Wodelski plonge sa main gauche dans une poche et en sort le carnet de Nathaniel qu'il jette aux pieds de Nathan.

— Vous avez détruit ma famille… Vous, les Bartel. D'abord ma sœur, Agnès. Et ensuite…

Nathan doit réagir immédiatement. Il le sent. Le flic n'a pas tiré, il reste peut-être une chance infime.

— Franck! Vous n'étiez pas là ! Vous n'étiez pas dans la chambre avec Agnès. Vous et votre mère, vous vous êtes imaginé des choses qui ne…

Wodelski sourit en secouant la tête.

— Vous ne vous en sortirez pas comme ça, Bartel. Il s'interrompt, le flingue armé toujours braqué sur Nathan. J'étais là ! hurle-t-il soudain. Je vous ai vus. Vous et votre frère ! Vous avez tué Agnès et vous l'avez balancée dans la rivière, comme une moins que rien ! Vous l'avez transportée dans une brouette. Je vous ai vus !

— Pourquoi ne pas nous avoir dénoncés ? lui demande Nathan qui cherche à gagner de précieuses secondes.

— Qui aurait pris au sérieux les paroles d'un gosse perturbé ? Perturbé par un père alcoolique et violent. L'enquête a conclu à un simple accident… Mais moi, je savais. Et puis, maman m'a dit que vous n'auriez pas été punis comme vous le méritiez. Vous, les bourges, les richards, les puissants, vous vous en sortez toujours, hein ! Il fallait vous faire souffrir, comme moi et ma mère nous avons souffert durant toutes ces années. Ses ultimes paroles s'éteignent dans un sanglot qu'il ravale. J'aimais Agnès, je l'aimais tant… Ma douce Agnès…

Bartel se souvient des derniers moments de son frère. Sur son lit de mort, Nathaniel lui avait dit que quelqu'un cherchait à le supprimer.

Le puzzle se reconstitue dans l'esprit de Nathan qui comprend désormais toute l'horreur du stratagème mûri par Wodeslki durant ces longues années. C'est lui, ce flic véreux, le véritable responsable de ce jeu de massacre.

— C'est vous… Vous les avez tués… Vous avez imité l'écriture de Nathaniel sur ce carnet et vous…

— Oui, avoue Wodelski avec une expression de fierté mêlée de cynisme. C'est moi. J'ai supprimé toute cette engeance. Au début, Nathaniel se chargeait des cadavres. Il vous croyait malade – oui, vous ! – et s'arrangeait pour les faire disparaître. Sur les conseils de sa chère mère. C'est beau la solidarité familiale, hein ! Ça lui a coûté sa santé mentale. Il perdu la tête et puis, la vie. Comme je l'avais prévu. Ensuite, c'était à ton tour…

Wodelski se signe, baise le crucifix et le range dans le coffret avec le carnet.

Il pose une barre de fer contre l'arbre aux deux troncs qu'il arrose d'essence. Au loin, l'orage gronde. La foudre frappe le cerisier qui s'enflamme.

Nathan parle à Diane. Un homme s'avance dans l'ombre, tisonnier brandi, et l'abat violemment. Diane s'écroule. À la vue du sang, Nathan perd connaissance. Wodelski sort de l'obscurité. Le flic s'acharne sur le corps de Diane et s'enfuit avec le carnet avant l'arrivée d'Emma.

Des mains puissantes écrasent un oreiller sur le visage de Sophia.

Dans la voiture de Caroline, Wodelski endort Nathan à l'aide de chloroforme. Caroline cherche à s'échapper du véhicule, mais il la rattrape.

Wodelski lave ses mains ensanglantées en observant le corps sans vie de Delphine.

En pleine nuit, au cimetière, il sort le cadavre de Nathaniel de sa tombe.

Une pelle fend le crâne d'Hugo.

Nathan a reconstitué le puzzle, ce tableau diabolique d'un esprit malade brandissant le bras vengeur de sa propre justice.

— Vous vouliez me faire crever à petit feu, me rendre fou, comme vous l'avez fait avec Nathaniel, n'est-ce pas !

— J'y ai consacré ma vie entière. Ma vie entière à traquer la bête qui est en vous. J'aurais pu m'en prendre à votre famille, vos enfants, mais je ne suis qu'un pauvre flic qui demande simplement que justice soit faite. Je ne m'attaque pas aux innocents, moi…

— Et toutes ces femmes que vous avez assassinées, de quoi étaient-elles coupables ?

— Des pécheresses, Bartel. Des pécheresses… De la pire espèce.

— Des innocentes, Wodeslki. Vous jouez au justicier, alors que vous êtes un monstre. Vous avez assassiné des innocents, profané une tombe, dans l'unique but de vous venger de moi et mon frère. Revenez à la réalité, Wodelski. Ouvrez les yeux !

— N'essayez pas de me manipuler ! Comme vous avez manipulé ma mère en lui faisant croire que c'était Emma, votre propre mère, qui avait tué Agnès. Qui est le monstre ici ? Qui ?

— Jamais je n'ai dit une chose pareille… se défend Nathan.

— Fermez-la ! Je sais de quoi sont capables les gens de votre espèce. Vous ! Vous et votre frère ! Vous avez tué Agnès !

— Bon sang, Franck ! C'était un accident ! Un regrettable…

Furieux, Wodelski frappe Nathan au visage du canon de son revolver. Bartel s'effondre. À moitié sonné, il repère le couteau d'Annabella.

Le flic s'acharne sur Nathan de toutes ses forces, lui assène de violents coups de pied qui lui coupent le souffle. Pendant si longtemps, une éternité, jusqu'à ce que l'épuisement de Wodelski mette fin aux attaques.

Nathan n'est pas mort. Groggy, étourdi, tuméfié, il comprend que son bourreau reprend ses forces. Faut-il en profiter maintenant ? Jouer sa dernière carte ? Il lève la tête et fixe le policier dans les yeux.

— Voilà où ça me mène… d'avoir tué cette jolie Agnès. Mais vous, Franck, vous n'imaginez même pas ce que je lui ai fait à votre sœur adorée. Avant de l'achever.

Wodelski, hors de lui, hurle de rage et se remet à le frapper de toute sa haine, lui l'infâme meurtrier, qui se recroqueville comme un vermisseau jusqu'au pied du lit.

Avec le peu de force qu'il lui reste, Nathan tend la main et s'empare du couteau de boucher d'Annabella qu'il plante dans la cuisse de Wodelski. Un coup de feu éclate. La balle se fiche à un angle du lourd miroir de la cheminée.

Nathan s'accroche au policier qui s'écroule à son tour. La bagarre s'engage, chacun lutte de toute son âme, sachant bien que le vainqueur serait également l'unique survivant.

Nathan arrache le couteau de la jambe de Wodelski avant de le poignarder. Le flic se fige, les yeux emplis d'une profonde détresse.

— J'ai fait ce que je devais faire… Pourquoi… ? parvient-il à prononcer avant de convulser et de s'immobiliser.

Le silence, le soulagement envahi Nathan, allongé sur le sol, qui retrouve peu à peu son souffle, quand il aperçoit Homère caché sous le lit. Bartel peine à se relever, titube, anéanti. Le visage ensanglanté, il s'approche du miroir, respire profondément. Tout à coup, le chat se met à siffler et détale vers la porte. Mais l'avertissement arrive un peu tard et Wodelski, dans un ultime sursaut, agrippe la cheville de Nathan. Dans un ultime effort, Bartel s'accroche au miroir, son coude heurte le verre qui se fêle en une dizaine de lames acérées. Les tessons douchent Wodelski qui voit alors ce dernier reflet de lui-même dans un éclat. Un éclat aiguisé qui vient se ficher dans son œil. Nathan s'écarte et la glace monumentale s'écrase sur le flic.

Éreinté, Nathan se traîne jusqu'à un fauteuil et s'y assied. Son regard vide embrasse la scène figée autour de lui, le massacre, ces quatre corps sans vie. Il clôt les paupières, se laisse inonder par une clarté blanchâtre.

***

La fenêtre s'ouvre sur un ciel bleu printanier. Apparaît alors Agnès dans la chambre des enfants. Agnès fait le lit et le ménage en chantonnant. Un pic-vert s'approche du rebord. Elle le voit et s'avance doucement. Elle tend la main et le volatile s'y pose. Assis sur l'arbre courbé, les jumeaux lui font un signe.

Avec un sourire radieux, Agnès lève les bras en l'air et l'oiseau s'envole. Éblouis, les deux frères suivent sa course dans le ciel immaculé.

Alors, dans une intense clarté, Agnès disparaît à son tour.

Épilogue

Seule la lumière des moniteurs éclaire vaguement la silhouette de Nathan endormi sur un lit d'hôpital dans une chambre austère et sinistre. Nathan ouvre un œil et devine Céline, assise sur une chaise à ses côtés. Ses paupières lourdes se referment aussitôt.

Céline prend son sac à main accroché au dossier et en fait tomber des clés qui, en touchant le sol carrelé, provoquent un vacarme épouvantable. Elle serre les dents et observe un instant Nathan toujours assoupi.

Elle se penche pour ramasser son trousseau. Quand elle relève la tête, elle sursaute en découvrant Nathan assis, les yeux grands ouverts. Il esquisse un sourire maladroit.

— Tu es venue, murmure-t-il.

— Excuse-moi de t'avoir réveillé, répond-elle.

Nathan regarde autour de lui.

— Je suis content que tu sois là, tu sais.

— Comment te sens-tu ?

— Plutôt bien…

— Tu vas pouvoir bientôt rentrer à la maison, lui assure-t-elle.

— J'ai hâte, soupire-t-il.

— Les enfants sont impatients de te revoir...

Le visage de Nathan se rembrunit soudain. Céline l'avait prévu. Rassurée par son état, elle se permet d'ironiser.

— Ne t'inquiète pas pour ton travail, je m'en suis occupée. Ils ne vont pas te remplacer, du moins, pas tout de suite.

La réaction de Nathan ne se fait pas attendre.

— J'ai toujours bien travaillé... Il n'y a pas de raison que je sois écarté... J'ai toujours été meilleur que toi, de toute façon.

Céline, décontenancée par le comportement étrange de son mari, ne répond pas.

— Mère n'est pas venue ?

Céline reste un instant sans voix. Elle tente de garder son sang-froid.

— Elle... Tu ne te souviens pas, Nat ?

— Quoi ? Qu'est-il arrivé ?

— Mon Dieu, non... Non...

— Que s'est-il passé ? Tu lui as encore fait du mal, c'est ça ?

Le visage de Nathan se décompose. Le doute, la haine luisent dans son regard. Il n'est plus le même. Céline referme son sac.

— Nat… Je vais te laisser te reposer. Je reviendrai plus tard et nous pourrons…

Céline se lève, mais Nathan lui saisit brutalement le poignet et la toise.

— Tu lui as encore fait du mal, hein !

— Arrête, Nat ! Tu me fais mal ! Lâche-moi !

— Tu es un vrai salaud, tu sais ! Un vrai salaud ! hurle-t-il.

Céline n'y comprend plus rien. Elle se dégage brusquement et tombe par terre. Nathan tente de sortir du lit.

— Viens ici, Nathaniel, viens… ! Nat !

En se relevant, Céline croise le regard halluciné de Nathan.

— Non, non… C'est moi ! Céline… Ta femme !

— Pourquoi me fais-tu ça ? Pourquoi ? lance Nathan, désemparé. Juste parce que j'ai tué cette petite salope d'Agnès ? Elle n'a eu que ce qu'elle méritait, non ?

Épouvantée, en larmes, Céline sort de la chambre en catastrophe.

— Nat ! Reviens ici, Nat ! Reviens. J'ai besoin de toi. Reste avec moi... Je t'en prie... J'ai besoin de toi... Nathan marmonne, supplie, seul dans l'obscurité. Il se balance sur son lit. Les pas précipités de Céline dans le long couloir deviennent assourdissants, comme les coups de bec du pic-vert sur le vieux tronc d'arbre.

Nathan se réveille en sursaut. Le soleil pénètre dans sa chambre d'hôpital claire. La lumière qui filtre par les grandes fenêtres l'aveugle un instant. Il renverse le petit miroir posé sur sa table de chevet qui tombe par terre et se brise.

— Papa est debout ! murmure Ludovic.

À contre-jour, Nathan distingue une silhouette féminine – une fraction de seconde, il croit voir Agnès. Qui s'avance vers lui. Alors le visage de Céline se découpe dans le soleil. Elle affiche un sourire radieux. Elle tient leurs enfants par les épaules.

— On est tous là, Nat. Ta famille est là.

Ému, Nathan prend les mains de Céline puis celles de Lise et de Ludovic.

Mais Lise marche sur un éclat de miroir et se baisse pour le ramasser. Elle s'entaille le bout du doigt.

— Maman, je me suis coupée…

Nathan, inquiet, saisit la main de Lise et examine la blessure superficielle. Rassuré, il essuie le sang à l'aide d'un mouchoir.

— Ce n'est rien ma chérie, ce n'est rien. C'est fini…

Nathan, un sourire aux lèvres, lève les yeux vers Céline qui l'observe, l'air étonné.

— Quoi, Cél ?

Céline esquisse un sourire. Nathan ne réalise pas encore qu'il a vaincu sa phobie.

FIN.

« Du même auteur »

« LE SECRET DU SUNBIRD » Aventure – KDP 2015

« ROCKANGELES » Comédie Fantastique – KDP 2017 (BoD 2020)

« REFUGE » thriller psy – KDP 2019

« ON THE ROAD A-GUN – L'ETAT DU TUEUR » (BoD 2020)